JN246645

怪談収集家《かいだんしゅうしゅうか》 山岸良介《やまぎしりょうすけ》と人形村《にんぎょうむら》

作　緑川聖司
絵　竹岡美穂

ポプラ ポケット文庫

おくびさま　きたら　どこににげよ
おうちの　中に　かくれましょ
それとも　山に　にげましょか
いいえいいえ　それは　いけません
だまって　おくびを　わたしましょ

「だいじょうぶよ」

沙織《さおり》ちゃんは笑っていった。

「一番だけなら、おくびさまはこないから」

「っていうことは、二番があるの？」

「うん」
沙織《さおり》ちゃんはまじめな顔でうなずいた。
「だけど、二番を歌うと、
おくびさまがきちゃうから、
ぜったいに歌っちゃいけないの」

おくびさま　どこに　いらっしゃる
おうちの　中に　いらっしゃる
それとも　お山に　いらっしゃる……

登場人物

山岸良介《やまぎしりょうすけ》

怪談《かいだん》収集《しゅうしゅう》家《か》。全国の“本物”の怪談を集めて「百物語」の本を完成させることが仕事。

高浜浩介《たかはまこうすけ》

山岸《やまぎし》さんの助手《じょしゅ》をつとめる小学５年生。とくべつな霊媒体質《れいばいたいしつ》。

グワァー、グワァー、グワァー、グワァー

頭の上ではげしくなき声をあげながら、たくさんのカラスがぐるぐると輪をえがいている。

「山岸《やまぎし》さん」

顔にかかる木の枝《えだ》をはらいながら、ぼくは前を歩く山岸さんの背中《せなか》に声をかけた。

「ほんとにこっちであってるんですか?」

「だいじょうぶ、だいじょうぶ」

山岸さんは足をとめると、まったく緊張感《きんちょうかん》の感じられない笑顔《えがお》でこちらをふりかえった。

「山は高いんだから、道を下っていけば、いつかは人里につくよ」

山岸さんの足元で、まっ黒なネコが同意するようにニャーとなく。

「だから、そのいつかって、いつなんで……うわっ！」

話しかけるのに気をとられて、大きな木の根っこにつまずいたぼくは、大きくバランスをくずして、太い木の幹《みき》に手をついた。

十二月の早い夕暮《ゆうぐ》れは、森には一足先におとずれて、足元はずいぶん暗くなってきている。

スニーカーでも苦労《くろう》するような山道を、どうやったら和服にぞうりですいすいと歩けるんだろうと、なかば感心、なかばあきれながら山岸《やまぎし》さんのうしろ姿《すがた》を見ていると、

「気をつけたほうがいいよ」

山岸さんは前をむいたまま、思いがけずやさしい口調でいった。

「こんな山の中でころんだりすると、ヤマオオカミに食べられちゃうからね」

「この山、狼《おおかみ》がでるんですか？」

ぼくはゾッとして、あわててあたりを見まわした。

「あれ？　でも狼って、たしか絶滅《ぜつめつ》したんじゃ……」

「生物学上の狼は、そうかもしれないね」

山岸さんはにっこり笑った。

「ぼくがいってるのは、ヤマオオカミ。ヤマイヌとか、オクリオオカミとよばれることもあるけど、れっきとした妖怪《ようかい》の名前だよ」

「妖怪？」

「うん」

山岸《やまぎし》さんは楽しそうにつづけた。

「ヤマオオカミは、山の中を歩いていると、うしろからついてきて、山をおりるまで見とどけてくれるんだ」

「いい妖怪じゃないですか」

「まあね。こいつがそばにいたら、ほかのけものや妖怪はよってこないから、ボディーガードみたいなものなんだけど、その反面、送っている人間がころぶところを見ると、おそいかかって食べてしまうんだよ」

「そんな……」

ぼくは泣きそうになった。さっきから、何度もつまずいては、ころびそうになっているのだ。

「どうすればいいんですか？」

「だいじょうぶ。人間には知恵《ちえ》があるからね」

山岸《やまぎし》さんはこちらに横顔をむけて、にやりと笑った。

「もしころんでしまったら、ころんでないふりをすればいいんだよ。たとえば、しりもちをついても、すぐに『あーつかれた』とか『ここらで弁当《べんとう》を食べよう』といえば、『ああ、この人間はころんだんじゃなくて、ひと休みするために座《すわ》ったんだな』とだまされてくれるんだ」

「そんなにうまくいくんですか？」

「さあねえ。ぼくは、山でころぶようなことはしないから」

山岸さんのつめたい言葉に、ぼくがためいきをついたとき、うしろでガサガサガサと葉のこすれる音がした。

ふりかえると、森の奥《おく》で、けものの目が黄色く光っているのが見える。

「ちょ……ちょっとまってくださいよ」

ぼくはころばないように気をつけながら、山岸さんに追いつこうと、足をはやめた。

冬休み、第一日目。

ふつうの小学五年生なら、冬休みの宿題にとりかかったり、家族とスキーにでかけたり、おばあちゃんの家にいって、いとこたちと遊びまわっているであろうこの日に、どういうわけかぼくは、山深い森の中で道にまよっていた。

発端《ほったん》は、きのうのことだった。

「ただいまー」

終業式が終わって家に帰ったぼくは、居《い》間《ま》に入ったところで足をとめた。

どういうわけか山岸《やまぎし》さんが、うちの居間で母さんと談笑《だんしょう》していたのだ。

「やあ、おかえり」

顔をあげてほほえむ山岸《やまぎし》さんに、

「……ただいま」

いやな予感《よかん》をおぼえながら、ぼくが母さんのとなりにすわると、

「いま、山岸さんからお話をうかがってたんだけど、浩介《こうすけ》って、すごくお役に立ってるんですってね」

母さんが笑顔《えがお》でそんなことをいいだした。

「へ？」

どうやら、ぼくが学校にいってる間に、ぼくがいかに山岸さんの仕事の助手として有能《ゆうのう》かという話をしていたらしい。

「本当に、浩介くんがいてくれて、すごく助かってます」

思いがけない台詞《せりふ》に、ぼくは山岸さんの顔をまじまじと見つめた。

山岸さんはうちの隣人《りんじん》で、表向きには〈作家兼郷土史家《けんきょうどしか》〉となのっているけど、本当は怪談《かいだん》を集めるために全国各地をめぐっている〈怪談収集家《しゅうしゅうか》〉だった。

ただし、どんな怪談でもいいわけではなく、山岸さんいわく『本物の怪談』じゃないと

意味がないそうだ。

山岸《やまぎし》さんは『本物の怪談《かいだん》』ばかりを集めて、『百物語』というこの世に一冊《さつ》だけの本をつくろうとしているのだ。

そして、そんな山岸さんの仕事を、ぼくはある事情《じじょう》からしかたなく手伝っていた。

山岸さんにいわせると、ぼくには怪談を引きよせる怪談憑《つ》きとしての才能《さいのう》があるらしく、ぼくがいると怪談が集まりやすくてすごく助かるらしいんだけど、こっちはたまったもんじゃない。

なにしろ、集まってくるのは、みんなが放課後の教室で話して怖《こわ》がってるような、ただの怪談ではない。

本物の怪談なのだ。

だから、山岸さんの仕事にはなるべく関わりたくないんだけど、どういうわけかこの人は、人の心に入りこむことには異様《いよう》な才能をもっていて、いまもいつのまにか、

「それで、あしたから取材《しゅざい》旅行があるので、むすこさんを二、三日お借りできないかと思いまして」

という、小学生に対しては非常識《ひじょうしき》ともいえるおねがいに、

「山岸《やまぎし》さんといっしょだったら安心ですね。よろしくおねがいします」

母さんは催眠術《さいみんじゅつ》にでもかかったみたいに、あっさりと許可《きょか》をだしてしまった。

「え……ちょっとまってよ。あしたから、おばあちゃんの家にいくって……」

ぼくがあわてて口をはさむと、

「だいじょうぶ。おばあちゃんのところには、山岸さんが直接《ちょくせつ》送ってくださるそうだから」

母さんはにこにこしながらそういった。

ぼくはさらに反論《はんろん》しようとしたけど、

「よろしくね」

山岸さんに肩《かた》をポンポンとたたかれて、しぶしぶうなずいた。

以前、山岸さんのさそいをことわったら、夜中にお地蔵《じぞう》さまの頭がおなかの上にのってきて、金しばりにあうという体験をしているのだ。

今回のこの話をことわったら、きっと金しばりていどではすまないだろう。

そんなわけで、山岸さんの運転する車でお昼前に家を出発して、走ること三時間、よう

やく目的地である村の近くまでやってきた。

車の中できいた話によると、目的地は〈古杣村《ふるそまむら》〉という小さな村で、山岸《やまぎし》さんが本づくりと並行《へいこう》してさがしている特別な祠《ほこら》が、その村にあるかもしれないということだった。

ところが、山道に入ってしばらくしたところで、タイヤが穴《あな》にはまって車が動かなくなってしまった。

助けをよぼうにも、近くには建物もないし、携帯《けいたい》の電波もとどかない。

山岸さんはしばらく車の調子を見ていたけど、お手あげのポーズをすると、

「ここまでくれば、歩くほうが早いよ。山をこえればすぐだから」

そういって、車を置いて歩きだした。

しかたなく、ぼくもリュックをせおってついていったけど、歩けども歩けども、人里にたどりつくどころか、どんどん山深くなっていく。

「山をこえればすぐっていったじゃないですか」

ぼくがうったえると、

「そうだよ。ただし、山をこえるまでは、ちょっと時間がかかるかもしれないけどね」

山岸《やまぎし》さんはすずしい顔でそういった。

だまされた、と思ったときには、もう引きかえせないところまできていたのだ。

見あげると、木々のすきまからどんよりとした灰色《はいいろ》の空が見える。

車をおりて歩きだしたのが、たしか午後二時ごろだったから、もうそろそろ三時くらいだろうか。

いそがないと、日がくれてしまうと思い、ぼくがあせっていると、

「……おーい」

どこからか、人の声がきこえたような気がした。

「山岸さん」

「ん？」

「いま、人の声がきこえませんでしたか？」

「人の声？」

山岸さんは足をとめて、しばらく耳をすましていたけど、

「いや、きこえないよ」

と首をふった。

「でも、ほら」

ぼくが耳をすませると、やっぱりしげみのむこうから、「おーい、おーい」という声がきこえてくる。

「どこか近くで、ぼくらと同じように道にまよってる人がいるんじゃないですか」

ぼくは、声がするほうによびかけた。

「どこですかー」

すると、道から少しそれたしげみの中から、

「おーい……ここー……おーい……おーい……」

男の人の声が、はっきりときこえてきた。

「いまいきます」

ぼくは草をかきわけるようにして、声のほうへと近づいていった。

「おーい……ここー……ここー……」

そして、ほそい木の枝《えだ》をはらいのけた瞬間《しゅんかん》、

「うわっ！」

足の下の地面が急になくなって、ぼくはそのまま斜面《しゃめん》をすべりおちた。視界《しかい》のはしを、大きなかげがとびさっていく。

「あいたたた……」

地面にたたきつけられてようやくとまったぼくは、顔をしかめながら体を起こした。

どうやら、二、三メートルほどのほとんど垂直《すいちょく》な斜面だった。

「おーい、だいじょうぶかーい？」

山岸《やまぎし》さんが、大きくうかいしながらおりてきてくれる。

「あ、はい。なんとか……あいててて……」

体を起こそうとして、ぼくは足首の痛《いた》みに悲鳴をあげた。

「どうしたんだい。急にがけからとびおりたりして」

「でも、たしかにこのあたりで人の声が……」

「あれはキドモフクロウといって、『おーい』とか『ここー』と人の声に似《に》たなき方をすることで有名なんだ。冬になると、スキーヤーがよくだまされて、がけから転落《てんらく》してるらしいよ」

「知ってたならおしえてくれたって……あいててて……」

つめよろうとして、無意識《むいしき》に立ちあがりかけたぼくは、また顔をしかめた。

「いやあ、てっきり話したつもりだったんだけどね」

山岸《やまぎし》さんは笑いながらも、てぎわよくぼくの足をテーピングしてくれた。

「まあ、でも、がけからおちたのは、結果的によかったのかもしれないね」

「どうしてですか？」

「一瞬《いっしゅん》で視界《しかい》から消えたからね。いっただろ？　ヤマオオカミは、人間がころんだのを見つけたら、おそってくるんだ」

そういうと、山岸さんはしゃがんで背中《せなか》をこちらにむけた。

おどろいたことに、おぶってくれるようだ。

「え？　いいんですか？」

「こんな山奥《やまおく》においていくわけにはいかないだろ」

そんな山奥に一方的につれてきたのは山岸さんなんですけど……という言葉をのみこん

で、ぼくはすなおに体をあずけた。

山岸《やまぎし》さんはひょいと立ちあがると、

「山の中は危険《きけん》がいっぱいだからね。たとえば、ぼくが知ってる中では、こんな話も
……」

とつぜん語りはじめようとした。

「ちょっとまってください」

ぼくはあわててさえぎった。

「こんなところで、怪談《かいだん》なんかしなくていいですから」

ところが山岸さんは、きげんのよさそうな声で、

「えんりょしなくていいよ」

というと、こっちがにげられず、耳もふさげないのをいいことに、一方的に怪談を語りはじめた。

『追いかけてくるもの』

バードウォッチングがしゅみのT《ティー》さんが、会社の休みを利用して、カメラを手に、ある森にでかけたときの話。

その森には、あまり人が立ちいらないため、めずらしい鳥や植物が数多くのこっているといううわさがあった。

森の手前に車をとめて、中に足をふみいれたTさんが耳をすませると、虫の声や、風で草木がゆれる音にまじって、かすかに鳥のなき声がきこえてきた。

そのなき声にさそわれるように、奥《おく》へと入っていったTさんは、思わず目をうたがった。日本ではとてもめずらしい鳥が、つがいで木の枝《えだ》にとまっているのが見えたのだ。

木から木へと移動《いどう》する鳥を、Tさんは音をたてないように注意しながら追いかけた。ところが、とちゅうでうっかり音を立ててしまい、鳥はにげるようにとびさってしまった。

「あっ」

あわててカメラをかまえたが、もう視界《しかい》から鳥の姿《すがた》は消えている。

そのときになってようやく、T《ティー》さんは自分がいまどこにいるのかわからなくなっていることに気がついた。

つめたい風が、ザワザワと音をたてながら、森の中をふきぬける。

そういえば――Tさんは知り合いからきいた話を思いだした。

この森に人があまり入らないのは、自殺者《じさつしゃ》が多いからだというのだ。

その話を思いだしたとたん、Tさんの背《せ》すじがス――ッとさむくなった。

きょうはもう帰ろう――。

Tさんはカメラをケースにしまいこむと、やってきた方向にけんとうをつけて、足早に歩きだした。すると、

ガサガサ、ガサガサ

うしろから、草をかきわけるような音が近づいてきた。

おそるおそるふりかえるけど、なにもいない。

動物でも通ったのかなと思って、また歩きだすと、

「そっちじゃない」


かすかにそんな声がきこえたような気がした。

え？　と思ってふりかえるけど、暗くなりはじめた森の中は、シンとしずまりかえっている。

T《ティー》さんがまた歩きだすと、うしろから、今度ははっきりとガサガサときこえてきた。

まるで、だれかがついてきているみたいだ。

怖《こわ》くなってきて、思わず足をはやめると、

「そっちじゃない」

また声がきこえる。

怖《こわ》いけど、声を信じていいのかどうかもわからない。

とにかく、早く森をぬけよう——T《ティー》さんはひたすら歩きつづけたけど、よけいに道がわからなくなってきた。

ガサガサガサ、ガサガサ
ガサガサ、ガサガサガサ

音はつかずはなれず追いかけてくる。

人が追いかけてくるのも怖いけど、もし人じゃなかったら——もっと怖い。

泣きそうになりながら、Tさんはどんどん山奥《やまおく》に入っていった。

ガサガサ、ガササガサ

音はしだいに近づいてくるみたいだ。

歩きつづけてつかれたT《ティー》さんが足をゆるめると、音は一気に近づいてくる。

そして、ついに足が止まったTさんが、じっと息をころしていると、追いつかれる直前で、音はとつぜんやんだ。

（やっぱりなにかの動物だったのかな——）

Tさんが大きく息をはきだして、その場にすわりこむと、

「ここだよ」

頭上から、かすれたような声がした。

顔を上げると、真上の木の枝《えだ》から、首をつった男がじっとこちらを見おろしていた。

「うわっ！」

山岸《やまぎし》さんの話が終わったのと同時に、目の前にうらめしそうな男の顔があらわれて、ぼくは思わず悲鳴をあげた。

「どうしたんだい？」

「いま、そこに人の顔が……」

ぼくは目の前を指さした。

「これのこと？」

山岸さんが指さしたところを、おちついてよく見ると、それは木の幹《みき》に葉がかぶさって、人の顔のように見えているだけだった。

「なんだ……」

ぼくがホッと息をついていると、

「シミュラクラ現象《げんしょう》だね」

山岸さんは、呪文《じゅもん》のような言葉を口にした。

「しみゅら……なんですか？」

「シミュラクラ現象。人間の脳《のう》は三つの点がならんでいると、それを人の顔として認識《にんしき》するようにできていて、それをシミュラクラ現象《げんしょう》と呼ぶんだ。これは、ある男の子が修学旅《しゅうがくりょ》行《こう》にいったときの話なんだけどね……」

山岸《やまぎし》さんはそう前置きをすると、また勝手に語り始めた。

『しみ』

「あーあ。つまんねえなあ……」

広い和室のまん中で横になって天井《てんじょう》を見あげながら、タケルはためいきをついた。

中学校のスキー合宿の最終日。

みんなはいまごろ、雪山で練習の成果《せいか》を見せているというのに、自分は宿でるすばんだ。

きのうの夕方、最後の滑走《かっそう》のときに、はげしくころんでしまったせいで、足首をひねってしまったのだ。

さいわい骨《ほね》には異常《いじょう》はなかったけど、ひどいねんざで、歩くのも医者からとめられていた。

宿は音もなくしずまりかえっている。

ほとんどタケルの学校の貸切《かしきり》なので、宿にのこってるのは、従業員《じゅうぎょういん》とタケル、それから待機している先生がいるくらいだった。

たいくつだな、と思って天井《てんじょう》を見つめていたタケルは、ドキッとして目を見ひらいた。

ちょうど真上にある木目のもようが、人の顔のように見えたのだ。

それも、目がつりあがって、すごくうらめしそうな顔をしている。

「どうだ？　安静にしてるか？」

「あ、先生」

様子を見にきた先生に、タケルがいま見たものを話すと、

「それはシミュラクラ現象《げんしょう》だな」

そういって、先生は笑った。

「なんですか、それ」

「三つの点がならんでいたら、顔に見えてしまうという心理学用語だよ。ずっと横になってたいくつだったから、そんなものが見えてしまったんだろう」

そういいのこして先生がでていくと、

「あ、そうだ」

タケルはかばんからデジカメをとりだして、天井《てんじょう》にむけた。ほんとうに顔みたいに見えるのなら、顔認証《かおにんしょう》されるはずだ。

だけど、さっきのうらめしそうな男の顔にむけてみても、認証の表示《ひょうじ》はでなかった。

ためしに、天井のほかの場所や、壁《かべ》のしみにもむけてみたけど、やっぱり認証表示はでてこない。

いつのまにか夢中《むちゅう》になって、レンズをあちこちむけていると、ピピッ、という音とともに、急に顔認証の表示がでて、タケルは、

「わっ」

と声をあげた。

デジカメをおろすと、目の前にあるのは開いたままの三面鏡《さんめんきょう》で、びっくりしたタケルの顔がうつっている。

昨夜《ゆうべ》、同じ部屋の友だちと「なんかぶきみだよな」ともりあがって、そのままあけはな

しにしていたものだ。

タケルは胸《むね》をなでおろした。

鏡《かがみ》なら、自分がうつっているのだから、顔認証《かおにんしょう》されるのはあたりまえだ。

そう思って、もういちどカメラをかまえたタケルは、あることに気づいてドキッとした。

自分の顔はデジカメでかくれているため、鏡にむけても顔は認識《にんしき》されないはずなのだ。

鏡にカメラをむけて、もういちどよく見ると、鏡の右上に顔のように見える黒いよごれがついている。

どうやらそれが、顔認証されているようだ。

「なんだよ。おどかしやがって……」

そういって顔を近づけると、ただのよごれだった三つの点が目と口になって、鏡をつきやぶろうとするかのように、そのまま立体的《りったいてき》にうかびあがってきた。

タケルが声もだせずにふるえていると、顔はにやりと笑って、こういった。

「やっと気づいてくれた」

一時間後、タケルは鏡《かがみ》の前で気を失《うしな》ってたおれているところを、先生に発見された。

後日、先生が宿に確認《かくにん》したところ、鏡は知り合いの古物商《こぶつしょう》から手にいれたもので、古物商によると、過去《かこ》に殺人事件《さつじんじけん》があった部屋においてあったものらしく、よごれはそのときについた血痕《けっこん》で、いくらぬぐってもとれなかったということだった。


なんだか、話をきいていると、目にうつる木や石の表面がすべて人の顔に見えてくる。

「まあ、古い鏡には気をつけろってことだね」

全然参考《さんこう》にならないところに話を着地させた山岸《やまぎし》さんに、

「あの……やっぱり自分で歩きます」

ぼくはそういった。

「あれ？　そう？」

「はい」

明るい室内とかならまだしも、こんなうす暗い山の中で道にまよいながら、これ以上怪談《いじょうかいだん》をきかされてはたまらない。

じっさい、無理をしなければ歩けるていどの痛《いた》みだった。

足の屈伸《くっしん》をしているぼくに、

「いちおう忠告《ちゅうこく》しておくけど、もしうしろからなにかが追いかけてきたら、『おさきにどうぞ』といえばいいからね」

山岸《やまぎし》さんはそんな忠告をした。

それならきいたことがある。

べとべとさんとか、ぺったりさんとよばれる、足音だけの妖怪《ようかい》だ。

夜道を歩いているとどこまでもついてきて、ふりかえってもだれもいない。

そんないたずらをして、人を不安がらせてよろこぶ妖怪で、『おさきにどうぞ』というと、自分を追いぬいて歩き去ってしまうのだ。

しばらく歩いていると、うしろからガサガサと音がきこえてきた。

ふと前を見ると、いつも山岸さんといっしょにいるはずの黒ネコがいない。

あいつがいたずらしてるんだな――そう思ったぼくは、足をとめると、平気なふりをしていった。

「おさきにどうぞ」

ガサガサ、と音がして、するどいきばの狼《おおかみ》が、ぼくをちらりと横目でにらみながら追いぬいていった。


山岸《やまぎし》さんの背中《せなか》からおりて、十五分ほど歩いたところで、山岸さんから「ちょっとおいで」と手まねきをされた。

いわれるがままに山岸さんのそばにいって、ぼくは思わず、

「うわあ……」

と感嘆《かんたん》の声をあげた。

そこはちょうど、森がとぎれてみはらし台のようになっていて、足元に人里がひろがっているのが見える。

二本のほそい川が、村をはさむように流れていて、田んぼと畑のあいまに、ぽつりぽつりと家が建っている。

ビルどころか、三階《かい》建て以上《いじょう》の建物もなく、人家もほとんどが木造《もくぞう》だ。

これが全景だとしたら、そうとう小さな村だろう。

「写真をとっておいて」

山岸《やまぎし》さんにいわれて、ぼくはリュックからデジカメをとりだすと、村の全景を何枚《まい》かカメラにおさめた。

太陽が雲のむこうにかすんで、空はうす紫《むらさき》色にそまりはじめている。

いままで歩くのに必死で気づかなかったけど、少しひえてきたみたいだ。

「いこうか」

山岸さんの言葉に、ぼくはうなずいた。


ふたたび森の中に入って、しばらく歩くと、くずれかけた山小屋があらわれた。いまはつかわれていない猟師《りょうし》小屋のようだ。

小屋のそばを通って山道をおりると、目の前に川があらわれた。

川幅《かわはば》は十メートルくらいだろうか。コンクリート製の橋がかかっている。

水面までの高さがけっこうあるし、川の流れも速いので、落ちたらけがではすまないだろう。

橋の欄干《らんかん》にはほとんど消えかかった文字で〈人形橋《にんぎょうばし》〉と書かれていた。

とにかく山をおりることができて、ぼくがホッとしていると、

「うーん……」

山岸《やまぎし》さんが橋の手前で、なにやら考えこんでいた。

「どうしたんですか？」

「いや、ちょっとね……橋というのは、一種の境界《きょうかい》だから、わたるときは慎重《しんちょう》にいかないと……」

「はあ……」

森にまよってもすずしい顔をしていた山岸さんが、真剣《しんけん》な顔をしている。

黒ネコもなにかを警戒《けいかい》しているのか、毛をさかだてて、前方をキッとにらんでいた。

まさか、ひきかえすつもりじゃないよな――心配になってふりかえったぼくは、ギョッとした。目の前の木に、大量のカラスがとまっていて、なきもせずにじっとこちらを見つめていたのだ。

まるで、ぼくたちが森にもどらないように、見はっているみたいだ。

そのまましばらく立ちどまっていると、とつぜん橋のむこうから、「きゃあっ！」という女の子の悲鳴がきこえてきた。

見ると、女の子がカラスにおそわれて、頭をかばってしゃがみこんでいる。

ぼくはとっさにかけだして橋をわたると、両手をふりまわしてカラスを追いはらった。

「こら！　あっちいけ！」

ぼくのいきおいにおどろいたのか、カラスがくるりと輪をかいて、とびさっていく。

ぼくは女の子に声をかけた。

「だいじょうぶ？」

「うん……ありがとう」

目に涙《なみだ》をうかべながら顔をあげたのは、同い年ぐらいの女の子だった。

色白のほっぺたが赤くそまっている。

山岸《やまぎし》さんと黒ネコが、やれやれという顔で橋をわたってきた。

「まったく……浩介《こうすけ》くんは、考えなしにうごくんだから」

「あの場面を見たら、ふつうは助けるでしょ」

山岸さんにふつうをといてもしかたがないけど、ぼくはいちおう反論《はんろん》しておいた。

女の子は、そんなぼくたちを見て不思議そうにいった。

「あの……山のほうからきたんですか？」

「うん、そうなんだ。じつは、山の中で車が故障《こしょう》してしまってね……」

山岸さんは相手を安心させるようにほほえむと、かんたんに事情《じじょう》を説明して、

「きみは、この村の子かな？　村長さんの家はわかる？」

ときいた。

「わかります」

女の子が元気よくうなずいたので、ぼくたちは案内してもらうことにした。

女の子は、ぼくと同じ五年生で、如月沙織《きさらぎさおり》となのった。

色が白くて髪《かみ》の長い、日本人形みたいな雰囲気《ふんいき》の女の子なんだけど、もちろん和服ではなく、ふつうの洋服を着ている。

「ぼくは山岸良介《やまぎしりょうすけ》。それからこっちが、助手の浩介《こうすけ》くん」

山岸さんの自己紹介《じこしょうかい》に、沙織ちゃんはぼくの顔を見て、

「助手？」

と首をかしげた。

「うん。じつはぼくは郷土史家《きょうどしか》といって、日本各地の言い伝えや伝説なんかをきいてまわる仕事をしているんだけど、浩介くんにはその仕事の手伝いをしてもらってるんだ」

山岸さんが表向きの職業《しょくぎょう》を口にする。

「はあ……」

沙織ちゃんがぼんやりとうなずいた。

「この村の人だったら、なにか変わった言い伝えとか、村につたわる怪談《かいだん》なんかをきいた

ことはないかな」

山岸《やまぎし》さんがたずねると、沙織《さおり》ちゃんは少し考えてから、

「ここにくる途中《とちゅう》に、古い猟師《りょうし》小屋を見ませんでしたか？」

そういって、ぼくたちの顔を見た。

「ああ、あれのことかな」

山岸さんが、橋から少しあがったところにぼろぼろの小屋があったと話すと、

「あ、たぶん、それのことだと思います」

沙織ちゃんはそういって、話しはじめた。

「すごく昔の話なんですけど……」

昔々、村では年に何日か、山に入ってはいけない日がさだめられていた。

その日は神さまが山におりてくるので、神さまの姿《すがた》を目にしてはいけない、というのがその理由だった。

その禁《きん》じられた日に、街で強盗《ごうとう》をはたらいた男が、山ににげこんだ。

男はそのきまりを知っていたので、だれもさがしにこないだろうと思ったのだ。

ところが、その夜、男が小屋でねていると、戸をたたく音がした。

警戒《けいかい》しながらそっとあけると、そこにはおじいさんを先頭に、四、五人ほどの集団《しゅうだん》が立っていた。

どうやら、旅をしていて道にまよったらしい。

村への道をおしえてやってもいいのだが、自分がここにいることを話されてはまずい。

朝になったら道をおしえるからといって、小屋にとめてやることにした。

すると、おじいさんが、

「一晩《ひとばん》おじゃまするお礼に、芸をお見せしましょう」

そういって、人形をとりだした。

旅人たちは、人形芝居《しばい》の一座《ざ》だったのだ。

芸人たちの人形さばきは、みごとなものだった。

糸でつられた人形たちが、まるで生きているようにうごきまわる。

ところが、男はだんだん腹《はら》がたってきた。

お芝居の内容《ないよう》が、まぬけな強盗《ごうとう》がつかまってしまう話だったからだ。

「おい、おまえら。こんなつまらねえ芝居はやめて、別の芝居を見せろ！」

男がそういって刃物《はもの》をとりだすと、

「いえいえ。そういうわけにはいきません。この強盗の人形も、ずいぶんとくたびれてきましたから」

おじいさんはおちついて、男の目をじっと見つめた。

男の体は、まるで糸にからめとられたようにうごかなくなって――

翌朝《よくあさ》、人形劇《にんぎょうげき》の一座は小屋をあとにした。

彼《かれ》らが去ったあとには、男の姿《すがた》はなく、かわりに十年以上《いじょう》前に街で強盗をはたらいて、そのままゆくえ知れずになっていた男の死体がころがっていたそうだ。

「その後、その一座《ざ》の演目《えんもく》にでてくる強盗《ごうとう》の人形は、まるで生きているみたいだって、評《ひょう》判《ばん》になったそうです」

「でも不思議だね」

沙織《さおり》ちゃんの話がおわって、ぼくはつぶやいた。

「なにが？」

「だって、一座の人がべらべらしゃべるとも思えないし、その強盗が人形になってしまったのなら、その話はだれがつたえたんだろう」

沙織ちゃんはしばらく考えていたけど、やがてパッと顔をあげると笑顔でいった。

「本当ね。いままで気がつかなかったわ」

「理屈《りくつ》だけなら、いろいろつけられるけどね」

山岸《やまぎし》さんは苦笑いのような表情《ひょうじょう》をうかべていった。

「その強盗《ごうとう》にはなかまがいて、小屋の外から一部始終を見ていたとか、旅の一座《ざ》をぬけだしてだれかがしゃべったとか……でも、完成された怪談《かいだん》とはちがって、じっさいにいいつたえられている伝承《でんしょう》なんて、たいていそんなものだよ」

そうかもしれないな、と思いながら、ぼくは村の風景を見まわした。

じっさいに足をふみいれてみると、山から見おろしたときの印象通り、田んぼと畑のあいまにぽつんぽつんと家がある、という感じだった。

こんな季節でも畑仕事があるのか、作業着を着た村の人が、ときおりすれちがって会釈《えしゃく》をしていくけど、それ以外はほとんど人通りはない。

稲刈《いねか》りのおわった、さむざむしい田んぼに立っている一本足のかかしのほうが多いくらいだ。

腕《うで》を水平にあげて、バレーボールくらいの大きさの頭にくたびれたむぎわら帽子《ぼうし》をのせた典型的《てんけいてき》なかかしの姿《すがた》をながめていると、山岸《やまぎし》さんが、

「かかしは、どうして『カカシ』っていうのか知ってるかい？」

ときいてきた。

ぼくと沙織《さおり》ちゃんは顔を見あわせて、同時に首をふった。

「かかしは、もともと『カガシ』だったといわれているんだよ」

つめたい北風に寒そうな様子も見せず、山岸《やまぎし》さんが淡々《たんたん》と話しだした。

「そもそも害獣《がいじゅう》——作物をあらす鳥や動物を近づけないのが目的だから、はじめはくまやいのししの肉を焼いたものをぶらさげていたんだ。その肉のにおいをかがせることで追いはらっていたから、カガシっていうんだよ」

「それじゃあ、昔はお肉をそのままぶらさげてたんですか？」

沙織ちゃんの質問《しつもん》に、山岸さんはうなずいた。

「うん。ただ、大きなけもののお肉が手に入りにくくなってからは、そのかわりに人の姿《すがた》をしたものを置いて、鳥を追いはらうようになったんだけど……」

山岸さんはちょっと間《ま》をおいてからつづけた。

「気をつけないと、人の形をしたものには、たましいがやどることがあるからね」

『かかし』

ある村に、おさないころに両親をなくして、祖父母《そふぼ》に育てられているひとりの女の子がいた。

祖父母の田んぼには、一体のかかしが立っていた。

それは、なんのへんてつもないふつうのかかしだったけど、おばあちゃんの描《か》いたかかしの顔がやさしくほほえんでいて、それが写真の中で見る父親の顔によく似《に》ていたので、女の子は毎日前を通るたびに、かかしにあいさつをしていた。

それは、彼女《かのじょ》が中学生になり、高校生になってもつづいた。

ときには、だれにもいえない悩《なや》みを、かかしにうちあけることもあった。

彼女も、かかしがただの人形であることはわかっていたけど、それでも話すとなんだかおちつくのだ。

不思議なことに、かかしは何年たっても古くならなかった。

やがて、彼女《かのじょ》は大きくなり、恋《こい》をした。

そして、楽しかったデートの話や、どれだけ彼《かれ》が好きかということを、かかしに話した。

ところがある日、彼の話をするたびに、かかしが悲しそうな顔をしていることに気がついた。

「もしかして、よろこんでくれてないの？」

彼女の言葉に、かかしはうなずいたように見えた。

かかしのことをゆいいつ話していた親友にいうと、「嫉妬《しっと》してるんじゃない？」といわれた。

彼女《かのじょ》に恋人《こいびと》ができて、くやしいのではないか、というのだ。

彼女はちょっと腹《はら》が立ち、ちょっと悲しくなったので、それいらい、あまりかかしには話しかけなくなった。

そんなある日。彼女は恋人が、ほかの女性《じょせい》と腕《うで》を組んで歩いているところを見た。

それは、かかしのことを話していた、彼女の親友だった。

親友は彼女にいった。

「かかしとしゃべる女なんて、気もち悪いってさ」

かかしは、恋人のうらぎりを知っていたけど、しゃべることができなかったので、ただ悲しそうな顔をするしかなかったのだ。

かかしに、いつもかぶっていたぼうしをのこして、彼女は翌日《よくじつ》、命をたった。

祖父母《そふぼ》のなげきは大きく、田んぼは荒《あ》れ、かかしもよごれていった。


それから数日後。

もと恋人の男が彼女の親友とドライブしていると、強い視線《しせん》を感じた。

「どうしたの?」

「いや……」

バックミラーに目をやった男は、目を大きく見ひらいた。

一本足のかかしが、とぶような速さで車を追いかけてきていたのだ。

男はパニックになって、アクセルをふみこんだ。

田んぼにかこまれた一本道を、車はどんどん加速《かそく》していく。

「ちょっと、どうしたのよ」

助手席《じょしゅせき》の女が、まっ青な顔で男に話しかけるが、

「うるさい! だまってろ!」

男は必死の形相《ぎょうそう》でハンドルをにぎりしめて、猛《もう》スピードで走りつづけた。

しばらくすると、ようやくバックミラーからかかしの姿《すがた》が消えた。

男がホッと息をついていると、次の瞬間《しゅんかん》、フロントガラスをつきやぶってかかしがとびこんできた。

事故現場《じこげんば》を見て、警察官《けいさつかん》は首をひねった。

車は一本道の途中《とちゅう》で、急にハンドルをきったかと思うと、むりやりアクセルをふみこんで、田んぼのまん中でかかしに激突《げきとつ》していたのだ。

なんとか助かった助手席《じょしゅせき》の女は、「かかしが……かかしが……」とうわごとのようにくりかえしている。

かかしは、いまは作業小屋の裏手《うらて》にころがっているそうだ。


「かかしも、時がたてば人の心をもつんだよ」

山岸《やまぎし》さんは、そうしめくくった。

そばの畑に立っているかかしに目をやって、ぼくはドキッとした。

マジックで書かれたその目が、じっとこちらを見つめているような気がしたのだ。

田んぼのまん中に、一本の太い棒《ぼう》だけで立ってるんだけど、なんだかその棒だけでも、

ぴょんぴょんととんできそうだなと思っていると、沙織《さおり》ちゃんが大きな松の木の下で足をとめた。そして、

「ここから村長さんの家までは、一本道だから」

そういうと、「じゃあね」と手をふって帰っていった。

松の木の横をぬけて、くねくねとした坂道をのぼると、坂の上には旅館とかお寺に見えるくらいの、大きなお屋敷《やしき》が建っていた。

表札《ひょうさつ》には〈篠崎《しのざき》〉と書いてある。それを見て、山岸《やまぎし》さんがつぶやいた。

「やっぱりな……」

「どうしたんですか？」

ぼくがたずねると、山岸さんは肩《かた》をすくめていった。

「どうやら、ぼくたちはちがう村にきてしまったみたいだ」

「――ええっ？」

ぼくがあぜんとしていると、門の内側《うちがわ》に若い女の人があらわれた。

「あの……どちらさまですか？」

「あ、すいません。じつは……」

山岸《やまぎし》さんが事情《じじょう》を説明する。

女の人は、とまどった様子で話をきいていたけど、強い寒風がふいてきたのをきっかけに、一歩さがって道をあけた。

「こんなところではなんですから……どうぞおあがりください」

奥《おく》の座敷《ざしき》に通されると、ほどなくして、六十代くらいのかっぷくのいい男の人があらわれた。

なんだか、田舎《いなか》の気のいい校長先生、という感じだ。

「この村の村長をしております、篠崎《しのざき》です」

村長さんは、ていねいに頭をさげた。

「とつぜんおじゃましてもうしわけありません。じつは……」

ここでもう一度、山岸さんが説明する。

村長さんはだまってきいていたけど、

「その村なら、となり村です」

申しわけなさそうな顔でそういった。ただし、となりとはいっても、山を通らずにまわりこんでいくと、ここから車でも一時間近くかかるらしい。

「しかも、今朝《けさ》、土砂崩《どしゃくず》れがあって、しばらく車が通れないようです」

つまり、いまから目的の村にむかおうと思ったら、もう一度山にもどって、ちがう方向におりないといけないのだ。

がっくりと肩《かた》を落としていると、村長さんがぼくの足に目をとめた。

「もしかして、けがをされてるんですか？」

「はい。ちょっとくじいてしまって……」

「それはいけませんね」

村長さんは心配そうにいった。

「いまから山道にもどられるのも危険《きけん》ですし、この村には宿もありません。よかったら、うちにとまっていかれませんか？」

「いいんですか？」

山岸《やまぎし》さんより先に、ぼくが身《み》をのりだした。

足をひきずりながら、ヤマオオカミのいる夜の山にはもどりたくはない。

地獄《じごく》に仏《ほとけ》とは、まさにこのことだった。

「このあたりは、それほど雪ぶかくはありませんが、それでもこの季節になると、雪がふることもあります。むやみに山にはいるより、道路が復旧《ふっきゅう》するのを待ったほうがよろしいでしょう」

山岸さんはチラッとぼくを見てから、頭をさげた。

「それじゃあ、お言葉にあまえます。ところで、この村はなんという村なんですか？」

「この村ですか？」

村長さんは目をほそめてこたえた。

「人形村《にんぎょうむら》といいます」

「変わった名前ですね」

山岸さんの言葉に、

「これには、ちょっとした言い伝えがありましてな」

村長さんは、お茶をひとくちのんでから話しはじめた。

『天狗《てんぐ》の薬』

昔々、この地方にしてはめずらしく大雪がふったときの話。

当時の村長が、雪の中に行き倒《だお》れていた六部《ろくぶ》を家にとめた。

六部というのは、全国の霊場《れいじょう》をまわって修行《しゅぎょう》している旅の僧《そう》のことで、その六部は食べものもなく、あと少しで凍死《とうし》するところだった。

ようやく元気になった六部が、

「ぜひお礼がしたい。なにかこまっていることはないか？」

とたずねると、村長は、村にはやり病《やまい》がひろまってこまっている、といった。

そこで六部が、薬草から薬をつくって患者《かんじゃ》にのませると、いままで高熱でくるしんでいた患者《かんじゃ》たちは、あっというまに元気になった。

村長はとても感謝《かんしゃ》したが、六部《ろくぶ》は村をでる前に、ある告白《こくはく》をした。

「じつは、あの薬は天狗《てんぐ》に作り方をおしえてもらったものだ。

この村はあの薬をつかってしまったのだから、その見返りに、一年にいちど、天狗が村におりてきて、子どもをよこせというだろう。

そのときのため、村の子どもたち全員分の、身《み》がわりの人形をつくりなさい」

そして、人形の作り方と、人形にたましいをこめるやり方をおしえて去っていった。

その年の大晦日《おおみそか》のこと。

とつぜん、山からドーンと音がしたかと思うと、天狗が現《あらわ》れて、

「今年八つになる女子《おなご》をひとりよこせ」

里がゆれるような大声でそういった。

そこで、いわれたとおりにつくった人形をわたすと、天狗は満足して帰っていった。

それからも、天狗は毎年大晦日になると、子どもをよこせと山をおりてきた。

だれをよこせというのか、そのときになるまでわからないので、子どもが生まれると、

その子の人形をつくるようになったということだ。

「それ以来、この村では子どもが生まれると、お守りがわりに人形をつくるのが習慣《しゅうかん》になったそうです」

村長さんは話しおわると、またお茶を飲んで、

「奇妙《きみょう》な風習と思われるでしょうな」

と笑った。

「いえいえ。子どもが生まれたら人形をつくって、わざわいや病気をかたがわりさせるという地域《ちいき》は、いくつもありますよ」

山岸《やまぎし》さんは首をふって、語りだした。

『じゃあ、かえす』

「守《まもる》、誕生日《たんじょうび》おめでとう」

父さんがさしだした人形を見て、守くんはとまどった。

それは身長五十センチくらいの布製《ぬのせい》の人形で、顔はどことなく守くんに似《に》ていた。

「これは、おまえの身《み》がわり人形だ」

父さんはまじめな顔でいった。

守くんは父さんとふたり暮《ぐ》らし。きょうが八歳《さい》の誕生日で、前から約束していたゲーム機の次にわたされたのが、この人形だったのだ。

「父さんの故郷《こきょう》では、子どもが生まれると、その子の健康《けんこう》をねがって、人形をつくる習慣《しゅうかん》があるんだ」

と、父さんはいった。

その人形は、子どもが七歳になるまでは親が世話をして、八歳になると同時に、今度はその子ども自身が人形の世話をしなければならないらしい。

「人形の世話ってなんだよ」

「なあに、たいしたことじゃない。毎朝ご飯とお茶をお供《そな》えして、

『きょうも一日よろしくおねがいします』

と手をあわせるだけだ」

「はあ……」

あとは、ときおり布《ぬの》でよごれをぬぐってあげなさい、といわれて、守《まもる》くんは理解《りかい》できないながらもすなおにうなずいた。


守くんが人形の力を知ったのは、それから一か月ほどたった、ある日のことだった。

その日、守くんは学校で友だちとふざけていて、階段《かいだん》からころげおちた。

かなりいきおいよくおちたけど、病院でみてもらうと、打ち身《み》だけで骨《ほね》はぶじだった。

ラッキー、と思いながら家に帰ると、

「それは、人形さまのおかげだぞ」

と、父さんにいわれた。

まさか、と思いながら自分の部屋にもどった守《まもる》くんは、人形を見てドキッとした。

ちょうど守くんがけがをしたほうの足が、まるで骨折《こっせつ》したみたいにねじれていたのだ。

守くんは人形をもとの姿勢《しせい》にもどすと、いつもよりもていねいに布《ぬの》でぬぐった。

それからも守くんは、ちょっとしたけがはするけど、骨折のような大きなけがをすることはなかった。

そんなある日、友だちが守くんの部屋に遊びにきて、人形を見つけた。

「なんだよ、これ。気もち悪いなあ」

「その人形、すごいんだぞ」

守くんはじまんするような気もちで、いままで人形に助けられてきた話をしたけど、

「人形が身《み》がわりになってくれたって？　そんなわけないだろ。おまえが丈夫《じょうぶ》なだけだよ」

友だちには思いきり笑われてしまった。

そういわれてみると、いままでのことも、全部ぐうぜんだったように思えてくる。

その日から、守くんは人形の世話がてきとうになっていった。

ご飯やお茶をわすれることはしょっちゅうで、お祈《いの》りもしないし、よごれてもほったらかしにしている。

そのことに気づいた父さんが、守《まもる》くんをはげしくしかった。

「いままでお世話になっておきながら、なんてやつだ。おまえはしばらくこづかいなしだ」

部屋にもどった守くんは、壁《かべ》に背中《せなか》をつけてすわっている人形をにらみつけた。

「おまえのせいだぞ！」

人形はだまってほほえんでいる。

その表情《ひょうじょう》に、よけいに腹《はら》が立ってきた守くんが、人形を両手でつかんで、

「おまえなんか、いなくなればいいんだ！」

たたきつけながらさけぶと、

「それは本心か？」

人形の口から、かんだかい声がきこえてきた。

さっきまで笑っていたはずの人形の顔が、いつのまにか目をつりあげ、口を一文字にむすんで、守くんをにらみつけている。

言葉を失《うしな》ってがたがたふるえている守《まもる》くんに、

「じゃあ、かえす」

人形がそういった瞬間《しゅんかん》、

「ギャ———ッ！」

守くんは体中に激痛《げきつう》を感じて、気を失った。


子ども部屋からきこえてきたはげしい悲鳴に、守くんのお父さんがかけつけると、守くんが口からあわをふいてたおれていた。

そのそばでは、人形がまるで新品のようにきれいになって、やさしくほほえんでいた。


「守くんは、体のあちこちが骨折《こっせつ》していたそうです」

山岸《やまぎし》さんが話しおえると、

「そんな話があるんですか……」

村長さんは感心したように山岸《やまぎし》さんを見た。

「おくわしいですね」

「じつは、わたしは地方の歴史《れきし》や言い伝えを研究してましして……」

山岸さんが自分の仕事について、あたりさわりのない説明をした。

「――まあ、そんな関係で、地方につたわる怪談《かいだん》なんかを集めてまわってるんです。古杣《ふるそま》村《むら》にも、そのためにむかっていたんですが……」

「なるほど、そうでしたか」

村長さんは、にこにこしながらうなずいた。

「そういうことでしたら、小さな村ですが、ここにも言い伝えのようなものはありますから……」

村長さんがなにかいいかけたとき、ふすまがいきおいよくガラッと開いた。

ぼくたちがおどろいて顔をあげると、小柄《こがら》だけどなんだか迫力《はくりょく》のある白髪《しらが》のおばあさんが、少し前かがみになって、

「おくびさまに気をつけなさい」

なにかのおつげみたいにそういった。

「おくびさま？」

山岸《やまぎし》さんがききかえす。

「おくびさまに気をつけなさい」

同じ口調で同じ台詞《せりふ》をくりかえすおばあさんに、

「おかあさん、ねてなきゃだめじゃないですか」

村長さんがあわてた様子で立ちあがって、おばあさんを部屋の外へとおしだした。

ぼくたちがぼうぜんとしていると、はじめにでむかえてくれた女性《じょせい》がやっ

てきて、

「失礼しました。お部屋にご案内しますね」

そういって、ぼくたちを客間《きゃくま》の外へとつれだした。


「たいしたものはできませんが、夕食ができたらおよびします」

案内してくれた女性《じょせい》が、障子《しょうじ》をしめていってしまうと、ぼくは山岸《やまぎし》さんにつめよった。

「村がちがうって、いったいどういうことですか」

「ちょっとした手ちがいがあったみたいだね」

山岸さんはすずしい顔で受け流した。

「手ちがいどころじゃないですよ。いったい、ここはどこなんですか?」

「さっき、村長さんがいってただろ。人形村《にんぎょうむら》だよ」

「それはぼくもききましたけど……」

「どうやら、山をおりるときに方向をまちがえたみたいだね。車の通る道は土砂崩《どしゃくず》れらしいし、あの車までもどるのは、浩介《こうすけ》くんのその足だと大変だ。同じ山のふもとなら、似《に》たような話がつたわってるかもしれないし、お言葉にあまえて、ついでにフィールドワークをしていこうよ」

「そんなのんきな……」

あきれるぼくに、山岸《やまぎし》さんは笑っていった。

「だいじょうぶ。もともと、さっきの山が霊山《れいざん》で、そこから霊道がおりてるんだから」

「霊道？」

「うん。霊の通る道のこと。だから、あの山のふもとの村なら、きっとどこでも怪談《かいだん》は豊《ほう》富《ふ》にとれると思うよ」

「豊富にとれるって、きのこじゃないんですから」

「まあまあ。それより、さっそくききにいこうじゃないか」

「なにをですか？」

「きまってるだろ。さっきの『おくびさま』の話だよ」

そういって、山岸《やまぎし》さんは黒ネコといっしょに立ちあがった。

はじめてきた家なのに、山岸《やまぎし》さんはふくざつな廊下《ろうか》をまよいもせず、すたすたと歩いて、さっきのおばあさんの部屋にたどりついた。

「村長さんの、お母さまでいらっしゃいますね。ぼくは山岸、彼《かれ》は助手の浩介《こうすけ》くんです」

山岸さんは手早くなのると、

「さきほどおっしゃっていた、おくびさまとは、どういうものですか？」

とたずねた。

あずき色の着物を着たおばあさんは、顔中をしわにして笑いながら、

「むすこは世間体《せけんてい》を気にしてあんな話をしおったが、この村で人形をつくるようになったきっかけには、こういう話もあるんじゃ」

そう前置きをして、語り始めた。

#『六《ろく》部《ぶ》殺《ごろ》し』

昔々、村の外れに住むある男が、旅の途中《とちゅう》の六部《ろくぶ》に一夜の宿を提供《ていきょう》した。

ところが、六部が大金をもっていることを知った男は、六部の首をはねて、金をうばった。

その後、男はその金を元手に商売をはじめて成功《せいこう》し、村には人が集まった。

男は結婚《けっこん》して子どもも生まれ、幸せに暮《く》らしていた。

まっ白な半月が空に輝《かがや》くある夜のこと。

六歳《さい》になったばかりの子どもが、夜中にいきなりおきあがって、はだしのまま庭におりたった。

そして、おどろいて追ってきた男をふりかえると、

「おまえがおれを殺したのも、こんな晩《ばん》だったな」

といって笑った。

その顔は、自分が殺した六部のものだった。

男は悲鳴をあげながら、屋敷《やしき》にもどると、日本刀《にほんとう》を手にとった。

妻《つま》の悲鳴でわれにかえると、男はしがみつく妻をひきずりながら、もう少しで子どもの首をはねてしまうところだった。

恐《おそ》れおののいた男は、六部殺《ろくぶごろ》しを告白《こくはく》して、塚《つか》をつくり、寺の住職《じゅうしょく》に供養《くよう》してもらった。

ところが、次の日も、またその次の日も、夜になると男は日本刀を手にとって、子どもの首を切ろうとする。

こうなっては、みずからの命を絶《た》つしかない——男がそう覚悟《かくご》したとき、村に高名な人《にん》形師《ぎょうし》がやってきた。

男が助けをもとめると、人形師は家族全員の人形をつくって、六部の塚にそなえた。

翌日《よくじつ》、男が見にいってみると、塚の前に首のおちた人形がころがっていた。

「——その後、六部の霊《れい》は手あつく供養されたが、この村がさかえたのは、もとはといえば六部の金があったからじゃ。そこで、六部のたたりをおそれたこの村では、子どもが生まれると、その子のぶじをねがって人形をつくるようになったんじゃよ」

「それじゃあ、おくびさまというのは……」

山岸《やまぎし》さんの言葉に、

「六部《ろくぶ》の呪《のろ》いが生みだした死神じゃよ」

おばあさんは、大きな口をあけて笑った。

「おくびさまとは、首のない死人のことで、おくびさまが家の前に立ったら、その家から一週間以内に死人がでるといわれておる。そして、その死人が、次のおくびさまになるんじゃ」

「家の前に立つ、ということは、その家の住人じゃなければだいじょうぶなんですね？」

念《ねん》を押《お》すような山岸さんの口調に、おばあさんはおもしろがるように首をふった。

「おくびさまは、自分の姿《すがた》を見た者もとりころすといわれておる。村を歩くときは、くれぐれも気をつけるんじゃな」

おばあさんがまた笑い声をあげたとき、

「こんなところにいらしたんですね」

さっきの女の人が、部屋に入ってきて、あきれたようにいった。

「夕食の準備《じゅんび》ができました。こちらへどうぞ」


夕食の席《せき》で、ぼくたちはあらためて、家の人に紹介《しょうかい》された。

この家に住んでいるのは、村長さんと、そのむすこの孝《たかし》さん、孝さんの奥《おく》さんの良美《よしみ》さん、そしてさっきのおばあさんの、全部で四人だ。

おばあさんは別の献立《こんだて》を部屋にはこぶので、食卓《しょくたく》をかこんでいるのは、ぼくと山岸《やまぎし》さんをふくめて、五人と一ぴきだった。

ちなみに村長さんの話によると、道だけではなく、電話線も切れてしまっているらしい。

良美さんが、ぐつぐつと音を立てる土鍋《どなべ》のふたをあけて、みんなにとりわけていく。

とたんに空腹《くうふく》を思いだして、ぼくははしを手にとった。

黒ネコも、山岸さんのとなりで、お皿にとりわけられた白身魚にふーふーと息をふきかけてさまそうとしている。

「となり村との交流はあるんですか？」

山岸《やまぎし》さんがたずねると、村役場につとめているという孝《たかし》さんが首をふった。

「あまりないですね。あちらは林業で、こっちは農業と人形づくりが中心ですから」

「人形づくりは、産業になってるんですね」

山岸さんがちょっと意外そうに眉《まゆ》をあげた。

「もちろん、それだけでは生活がなりたたないので、仕事をしながらですが」

「それじゃあ、この村の人は、みんな人形がつくれるんですか？」

「そうですね。田んぼや畑をもってる人も、農閑期《のうかんき》には人形をつくるし、子どもはわら人形をつくったりもします」

「わら人形？」

ぼくがびっくりしてききかえすと、

「あら。わら人形っていっても、怖《こわ》いわら人形ばかりじゃないのよ」

良美《よしみ》さんが笑いながら話しだした。

『わら人形』

ある女の子――M《エム》子にしておきましょうか。M子が友だちとケンカをしたの。

ケンカのきっかけは、ささいなことだったけど、長引くうちにほかの友だちもまきこんだ悪口合戦《わるくちがっせん》みたいになっていって、うらみがどんどんたまっていった。

そしてついに、M子は友だちを呪《のろ》うために、その友だちの髪《かみ》の毛《け》をあみこんだわら人形をつくったの。

わら人形をつかって、丑《うし》の刻参《こくまい》り――夜中に白装束《しろしょうぞく》を着て、神社のご神木《しんぼく》にわら人形を五寸釘《すんくぎ》でうちつける呪いの儀式《ぎしき》――をおこなえば、友だちは命を落とすか、大けがをするはず。だけど、もともと仲がよかっただけに、いざ実行にうつそうとすると、なかなか思いきれなかった。

そんなある日、その友だちが車にはねられて、病院に運びこまれたという連絡《れんらく》をうけたM子は、頭がまっ白になって、気がついたら病院にむかっていたの。

手術《しゅじゅつ》が終わるのを待ちながら、M《エム》子は思いだしていた。昔、M子が熱をだしたとき、友だちがお見舞《みま》いにきてくれて、一生懸命看病《いっしょうけんめいかんびょう》してくれたことを。

友だちが事故《じこ》にあったことで、M子はあらためて、その友だちの大切さに気づいたのね。かなりはげしい事故で、命を落としてもおかしくなかったのに、友だちは奇跡的《きせきてき》に軽《けい》傷《しょう》ですんだ。

家に帰って、わら人形を処分《しょぶん》しようとしたM子が机《つくえ》の上を見ると、わら人形がまるで車にひかれたみたいに、ずたずたになっていたんですって。

「きっと、わら人形が身《み》がわりになってくれたのね」

「それじゃあ、そのふたりはなかなおりできたんですね？」

ぼくがホッとしながらきくと、

「そうね。ただ……」

良美《よしみ》さんは、お鍋《なべ》に野菜を追加《ついか》しながら、ほほえんだ。

「次にケンカをしたら、どうなるかわからないけどね。M子《エム》は、わら人形の効果《こうか》を知ってしまったわけだから」

「ところで、おくびさまのことなんですが」

山岸《やまぎし》さんが、村長さんに話しかけた。

「年寄《としょ》りの話を、あまり間《ま》にうけないでください」

村長さんが苦笑いをうかべて、ぼくを見る。

「首がない死人の話なんて、子どもにはあんまりきかせられませんからね」

「でも、きみは助手なんだよね？」

孝《たかし》さんが、ぼくのほうにひょいっと顔を近づけた。

「だったら、こういう話にもなれてるんじゃない？」

「ええ、まあ……」

ぼくはあいまいにうなずいた。

「なにか、首のない怪談《かいだん》をご存《ぞん》じなんですか？」

山岸さんが話をむける。すると、孝さんは、

「そういえば、近くの峠《とうげ》でこんな話をきいたことがあります」

そういって、話しだした。

『首なしライダー』

K峠《ケーとうげ》に、首のないライダーののったバイクが、夜な夜な現《あらわ》れるといううわさがあった。

そこで、ある男がそのうわさをたしかめようと、夜中にバイクでK峠にむかった。

K峠にはいって、しばらく走っていると、うしろからぐんぐんと黒いバイクがせまってきた。

しかも、たしかにライダーの首がないように見える。

男は恐怖《きょうふ》にふるえながらも、勇気をだして走りつづけた。

そして、相手のバイクが自分を追いぬく瞬間《しゅんかん》、しっかりと横をむいて——がっくりと肩《かた》を落とした。

首がないように見えたのは、黒いフルフェイスのヘルメットのせいだったのだ。

しかも、夜だというのに、シールドの部分もサングラスみたいに黒くしている。

「なんだ。やっぱりイタズラじゃねえか」

腹《はら》をたてた男は、相手に近づいて、大声でどなった。

「おい、ふざけるな！　顔を見せろ！」

すると、そのライダーは走りながらシールドをあけた。

その顔を見て、男は背《せ》すじがこおりついた。

こちらをむいたのは、まぎれもなく自分の顔だったのだ。


「その男は、どうなったと思います？」

孝《たかし》さんの言葉に、山岸《やまぎし》さんはにやりと笑ってこたえた。

「古来より、自分と同じ顔を目にすると、死期が近いといわれてますからね……。

ところで、首がないといえば、こういう話はご存《ぞん》じですか？」

『度《ど》胸《きょう》試《だめ》し』

「だれか、勇気のあるやつはおらんのか」

喜助《きすけ》はよびかけたが、みんな顔を見あわせるばかりで、手をあげるものはいなかった。

村のよりあいの帰り道。

月が雲にかくれた暗い夜道が、ちょうどお寺の前にさしかかったところで、喜助が度胸試しを提案《ていあん》したのだ。

「墓《はか》の一番奥《おく》にある、祠《ほこら》のろうそくを一本もってくるだけだぞ」

「だけど、喜助さん」

若者《わかもの》のひとりが声をあげた。

「あの墓地《ぼち》には、これがでるっていうじゃねえか」

そういって、胸《むね》の前でだらりと手をたらす。

たしかにその寺の墓地には、幽霊《ゆうれい》がでるといううわさがあった。

みんな、それを知っているのでいこうとしなかったのだ。

「よおし、わかった」

喜助《きすけ》はふところから小判《こばん》をとりだして、高くかかげた。

「ここに一枚《まい》の小判がある。祠《ほこら》のろうそくをもってきたやつには、これをやろう」

若者《わかもの》たちは、ざわついた。

大きな酒蔵《さかぐら》のむすこである喜助にとっては、小判一枚くらいたいしたことないのかもしれないが、金のない若者にとっては大金だ。

それでも、幽霊《ゆうれい》のうわさはそうとうひろまっているらしく、みんながおたがいの顔色をうかがっていると、

「あたしがいってもいいのかい？」

暗闇《くらやみ》の中から、背中《せなか》に赤ちゃんをおぶったお母さんがとつぜんあらわれて、手をあげた。

ぐうぜん通りかかって、話をきいていたらしい。

「うちはお金がなくてね。それがあれば、この子に栄養《えいよう》のあるものを買ってあげられるんだよ」

かわいそうに思った若者《わかもの》たちは、とくべつにこのお母さんの参加を認《みと》めることにした。

お母さんは、なにかあったときのためにと、近くにおちていた草刈《くさか》り用の鎌《かま》を手に、寺へとむかった。

墓地《ぼち》の入り口に立っているお地蔵《じぞう》さまに「どうかお守りください」と手をあわせてから、足をふみいれる。

真夜中の墓地は、ただでさえ気味が悪い。

その上、この墓地には幽霊《ゆうれい》が住みついていて、まよいこんだ人間の着物の袖《そで》をつかんではなさない、といううわさがあるのだ。

背中《せなか》の赤ちゃんはよくねている。

お母さんはほとんど目を閉《と》じるようにして、一気に墓地をぬけると、祠《ほこら》のろうそくをパッととって、またすぐにひきかえした。

すると、ちょうどまん中あたりまできたところで、だれかがお母さんの髪《かみ》の毛《け》をギュッとつかんだ。

「きゃ――――!」

恐怖《きょうふ》でパニックになったお母さんは、悲鳴をあげながら、自分の背中《せなか》にむけて鎌《かま》をめちゃくちゃにふりまわした。

そして、ころがるようにして、もとの場所にもどってきた。

「どうだい？　ちゃんとろうそくをとってきただろ。これで小判《こばん》はあたしの……」

「うわ――っ！」

喜助《きすけ》はお母さんの背中のあたりを指さして、悲鳴をあげた。

お母さんはおそるおそるふりかえって、心臓《しんぞう》がとまりそうになった。

背中におぶっていた赤ちゃんの首がなかったのだ。

お母さんは、さっきのできごとを思いだした。

うしろから髪《かみ》をつかんだのは、目をさました赤ちゃんで、自分は恐怖のあまり、ふりまわした鎌でその赤ちゃんの首を切ってしまったのだ――。

お母さんが気を失《うしな》いそうになったそのとき、

「これ、赤ちゃんじゃないぞ」

若者《わかもの》のひとりが声をあげた。

よく見ると、それは首の切れたお地蔵《じぞう》さまだったのだ。

みんなで墓地《ぼち》にむかうと、祠《ほこら》にいく途中《とちゅう》、お母さんが髪《かみ》をつかまれたあたりにお地蔵さまの首がおちていて、そのそばで赤ちゃんがすやすやと寝息《ねいき》をたてていた。


「お地蔵さまが、身《み》がわりになってくれたんでしょうね」

山岸《やまぎし》さんはそういって、大根をぱくりと食べた。

「そのお地蔵さまも、ずいぶん義理《ぎり》がたいね」

孝《たかし》さんが肩《かた》をすくめる。

「たまたま手をあわせてもらっただけで、赤んぼうの身がわりになるなんて」

「やっぱり、人の形をしたものは、人の身がわりをつとめる運命なのかもしれませんね」

村長さんが、なぜかさびしそうな口調でつぶやいた。

その夜。

ぼくはトイレにいきたくなって、夜中に目をさました。

となりを見ると、山岸《やまぎし》さんも黒ネコも、すやすやとねむっている。

ぼくはそっと障子《しょうじ》をあけて部屋をでた。

ぼくたちがいる部屋は、家の裏手《うらて》にあって、廊下《ろうか》は庭にめんしている。

用をすませてもどる途中《とちゅう》、ぼくはふと足をとめた。

庭には時代劇《じだいげき》にでてくるような、大きな蔵《くら》があるんだけど、さえざえとした月の光が、蔵の壁《かべ》を白くてらしていたのだ。

外の風はつめたかったけど、その光景に目をうばわれて、あまり寒さは感じなかった。

蔵は昔ながらの、土台が石垣《いしがき》みたいになっているタイプで、白い壁に両開きの門が黒く光っている。

二階《かい》ぐらいの高さにある窓《まど》には格子《こうし》がはまってるんだけど、そのすきまから、白い顔がのぞいたような気がして、ぼくは目をこらした。

すると、格子のすきまから白くてほそい腕《うで》がするするっとのびて、前後にゆれた。

どうやら、おいでおいでをしているようだ。

まさか、だれかが蔵《くら》にとじこめられているわけでもないだろう、と思いながらも、ぼくはサンダルをはいて、庭におりた。

そのまま窓《まど》の真下まで近づくと、足になにかがあたった。

それは、紙のコップだった。

よく見ると、底《そこ》には糸がついている。

そして、糸の先は、あの二階《かい》の窓につながっていた。

どうやら、糸電話のようだ。

ぼくがコップをひろって耳にあてると、かぼそい声で、

「**助けて**」

ときこえてきた。

「あなたはだれですか？」

ぼくがたずねると、

「**ここに閉《と》じこめられているの。おねがい、助けて**」

とかえってくる。

「でも、どうやって助ければ……」

「外からなら、かんぬきをはずせばあけられるから」

糸電話の声に、ぼくはふらふらと黒光りする門の前に立つと、かんぬきに手をかけた。

ふといかんぬきをはずして、とびらに手をかける。

ギギッと音がして、わずかにあいたとびらのすきまから、白い顔があらわれた。

それを見て、ぼくはギョッとした。

白いのもあたりまえで、それは目も鼻も描《か》かれていない、白い布《ぬの》でできた人形

の顔だったのだ。

「ありがとう」

人形の白い手が、ぼくの首にのびてくる。

ぼくがぼうぜんとしたままうごけないでいると、

「ミャ――ッ！」

まっ黒なかげが、とつぜん目の前を横切った。

ハッとわれにかえったぼくが、一歩うしろに下がる。

「まちなさい」

のばされた白い腕《うで》に、黒ネコがふたたびとびかかった。

そのするどいつめに、腕がきりさかれて、中から綿《わた》がこぼれおちる。

「ギャ――！」

人形がよろけているすきに、ぼくはとびらを閉《し》めて、かんぬきをかけた。

「ふー……ありがとう。助かったよ」

ぼくは息をついて、黒ネコにお礼をいった。

黒ネコは、ちょっと肩《かた》をすくめるような仕草《しぐさ》を見せると、なにごともなかったように、スタスタと廊下《ろうか》にもどっていった。

ぼくもそのあとを追おうとして、ふと足をとめた。

足元の地面に、小さな綿《わた》がおちている。

ひろおうとして、のばしたぼくの手の先で、綿は夜風にふかれて、ふわりとどこかにとんでいった。

翌朝《よくあさ》。目をさましたときには、すでに陽《ひ》は高く、村長さんと孝《たかし》さんは仕事にでかけたあとだった。

「おはようございます」

ぼくは良美《よしみ》さんにあいさつをして、みそ汁《しる》をすすっている山岸《やまぎし》さんのとなりにすわった。

「あ、おはよう。いまお魚を焼いてくるから、ちょっとまっててね」

良美さんが台所に姿《すがた》を消すと、

「昨夜《ゆうべ》はよくねむれたかい？」

山岸《やまぎし》さんはそういって、畳《たたみ》の上でお皿に入った牛乳《ぎゅうにゅう》をなめている黒ネコに、チラッと目をやった。

黒ネコがぼくを見て、「ニャア」となく。

「そうですね……まあ、なんとか」

ぼくはねむい目をこすりながらこたえた。

昨夜のできごとのあと、すぐに布団《ふとん》にもぐりこんだけど、あの白い顔が目の前にちらついて、なかなかねつけなかったのだ。

「糸電話には、気をつけたほうがいいよ」

山岸さんが食後のお茶をおいしそうにのみほしながらいった。

「ふつうの電話とはちがって、相手が見えてしまうからね」

「え？」

ぼくはちょっと意外に思ってききかえした。

「見えないほうが怖《こわ》いんじゃないですか？」

電話の怪談《かいだん》でよくあるのは、受話器を耳にあてたら、とつぜん気もちの悪い笑い声がきこえてきたり、

「いまからそっちにいくよ」

「おまえはあした死ぬ」

と、むこうが勝手に宣言《せんげん》してくるパターンだ。

そして、どの場合でも、声のぬしが正体不明というのが怖《こわ》さのポイントになっている。

すると、山岸《やまぎし》さんはむずかしい顔をして、

「うーん……もちろん場合にはよるんだけど、会話の相手と、糸という物質的《ぶっしつてき》なものでつながってしまうところに呪術的《じゅじゅつてき》な怖さがある、という専門家《せんもんか》もいるんだ」

「はあ……」

いったいなんの専門家なんだろう、と思っていると、

「たとえば、こんな話があるんだけどね……」

山岸さんはとめるまもなく話しだした。

『糸電話』

「わーい、わたしの部屋だー」

引っこし当日。

段《だん》ボール箱《ばこ》にかこまれて、ゆかりははしゃいでいました。

いままではアパートに親子三人でくらしていて、勉強するときも寝《ね》るときもだれかといっしょだったけど、きょうからついに自分だけの部屋がもらえるのです。

新しい家は小さな庭つきの一戸建《こだ》てで、ゆかりの部屋は、階段《かいだん》をのぼって左側にありました。

あしたには、新しい勉強机《べんきょうづくえ》がとどくことになっています。

部屋の中を歩きまわりながら、家具の配置を考えていたゆかりは、

「あれ？」

なにかをけとばして、しゃがみこみました。

足元に、白い紙コップがころがっています。

まだ荷物《にもつ》はなにもだしていなかったので、前の住人の落としものかな、と思ってよく見ると、コップの底《そこ》にテープで糸がついていました。

糸の先は、窓《まど》の外へとつながっているようです。

ゆかりはコップを手にして、窓をあけました。

窓の正面には、となりの家の窓があって、糸はその窓のむこうにつづいています。

ゆかりがコップを、つんつん、とひっぱると、すぐにむこうから、つんつん、と返事がかえってきました。

ゆかりはコップを口にあてて、

「こんにちは。だれかいますかー」

と話しかけました。そして、コップを耳にあててまっていると、しばらくして、

「こんにちは。新しく引っこしてきた人ですか?」

かわいらしい声とともに、窓がゆっくりとあきました。

むかいの窓に顔をだしたのは、ゆかりと同い年ぐらいの、髪《かみ》の長いきれいな女の子でした。

ゆかりは口に手をあてて、直接《ちょくせつ》話しかけようとしましたが、女の子が手ぶりで糸電話を指すので、またさっきと同じようにコップに話しかけました。

「きょう引っこしてきました。滝沢《たきざわ》ゆかり、小学四年生です」

相手が耳から口にコップをうつすのを見て、ゆかりは逆《ぎゃく》にコップを耳にあてました。

「はじめまして。わたしは木下《きのした》えりか。学校にいっていれば、わたしも四年生です」

「学校にいっていれば……って、どういうこと？」

「わたし、ずっと学校に通ってないの」

えりかちゃんは生まれたときから体がよわくて、入院と退院《たいいん》をくりかえしてきたのですが、最近になってようやく家にいてもよくなったのだそうです。

ただし、外出は一切禁止《いっさいきんし》で、友だちがお見舞《みま》いにくるのもだめ。

本当は、窓《まど》をあけるのも禁《きん》じられているのですが、どうしてもだれかと話をしたくて、糸電話をつくったのだと、えりかちゃんはいいました。

「でも、どうやってコップをこっちにとどけたの？」

不思議に思ってゆかりがきくと、

「先週、その部屋の窓《まど》があいてたから、ためしになげてみたら、うまく風にのってとどいたの。きっと、神さまが手つだってくれたのね」

えりかちゃんはそういって、にっこり笑いました。

それ以来、ゆかりは毎日のように、えりかちゃんと話をするようになりました。

学校に通うようになって、ゆかりにはクラスの友だちもできましたが、えりかちゃんはこの家に引っこして最初にできた友だちだったので、とくべつだったのです。

それに、えりかちゃんは外にでられない分、本をたくさん読んでいて、ゆかりの知らないことをいろいろ知っているので、いくら話してもたいくつすることはありませんでした。

「いつか、病気がよくなったら、いっしょに遊びにいこうね」

ゆかりがそういうと、えりかちゃんはうれしそうに、

「うん」

とうなずきました。

引っこしから、一か月がたとうとしていたある日のこと。

ゆかりが学校から帰ってくると、となりの家に、黒い服を着た人たちがたくさん出入り

しているのを見かけました。

なにかあったのかな、と不安に思いながら家に入ると、

「あ、ゆかり」

お母さんが、喪服《もふく》を着てでかけようとしているところでした。

「ちょうどよかった。あのね……ゆかりは知らないと思うけど、おとなりのえりかちゃんっていうおじょうさんが亡《な》くなったの」

「え……」

ゆかりはショックで言葉を失《うしな》いました。

きのうもふたりで、元気になったらどこに遊びにいこうかという話をしていたのです。

「お母さんは、お通夜《つや》のお手伝いにいってくるから、悪いけど、お父さんが帰ってくるまで、おるすばんしておいてくれない?」

お母さんが足早にでていってからも、ゆかりはしばらくの間、玄関《げんかん》にぼんやりと立ちつくしていましたが、やがておもたい足をひきずるようにして、二階《かい》の自分の部屋にあがりました。

(えりかちゃんが死んだ……)

元気そう――といったらおかしいかもしれませんが、昨夜《ゆうべ》もふだん通りで、なにも変わりはなかったのに。

ゆかりはベッドに腰《こし》かけて、つかいこんでぼろぼろになった紙コップを手にとりました。糸が切れたりしないように、つんつん、とかるくひっぱります。

だけど、いつもならすぐにかえってくるはずの合図も、きょうはありませんでした。

その日の夜。

おそい夕食を食べながら、ゆかりはお母さんにききました。

「その女の子は、いつ亡《な》くなったの?」

「きのうの夜ですって」

「そうなんだ」

昨夜えりかちゃんと話をしたのは、たしか夜八時すぎだったはずです。

あのあと、急に体調が悪くなったのでしょうか。

「あのね、お母さん。じつはわたし……」

いままでは、安静にしていないことがばれたら怒《おこ》られるから、糸電話のことは秘密《ひみつ》にしていましたが、もうえりかちゃんはいません。

ゆかりは、引っこした日からのことを、お母さんに正直に話しました。

すると、お母さんは奇妙《きみょう》な顔で、

「なにをいってるの？」

といいました。

「えりかちゃんは、もう何年も前から入院したままだったのよ」

「え……」

思いがけない言葉に、ゆかりの頭はまっ白になりました。

そんなゆかりに、お母さんはさらにつづけました。

「だから、同い年の女の子がいることを、ゆかりには話してなかったの。それに、亡《な》くなったのはきのうの八時ごろで、その何時間も前から意識《いしき》がなかったらしいの。だから、八時すぎに話ができるわけがないのよ」

次の日。

お母さんはえりかちゃんのお葬式《そうしき》にでかけていきましたが、ゆかりはショックで、朝からずっと部屋で横になっていました。

お母さんがきいた話によると、ゆかりたちが引っこしてくる直前、えりかちゃんは一日だけ退院《たいいん》して、家にもどってきていたそうです。

だから、糸電話をゆかりの部屋になげいれることはできたかもしれません。だけど――

ゆかりは、ふと体を起こして時計を見ました。

「いまごろ、お葬式かな……」

やっぱりいけばよかったかな。でも、亡《な》くなったのが本当にあのえりかちゃんなのかどうか、たしかめるのも怖《こわ》いし……。

ゆかりがベッドの上でためいきをついていると、床《ゆか》にころがっていた糸電話が、つんつんとうごいたような気がしました。

え？　と思いながら、紙コップを手にとって、おそるおそる耳にあてると、ききなれたえりかちゃんの声がきこえてきました。

「ゆかりちゃん？」

「えりかちゃん？　本当にえりかちゃんなの？」

「そうよ」

ゆかりはホッとしました。

やっぱり、えりかちゃんが死んだというのは、なにかのまちがいだったのです。

「ねえ、ゆかりちゃん」

「なあに？」

「わたしたち、ずっといっしょっていったわよね」

「うん」

ゆかりがうなずくと、えりかちゃんのうしろから、ゴ――ッと、まるでなにかがもえあがるような音がきこえてきました。

「え？　なに？」

ゆかりがびっくりしていると、糸のむこうから、低い、ひびわれたような声がきこえてきました。

「ここは熱いの。いっしょにきて」

「ゆかり、ただいま」

お母さんが、玄関《げんかん》で塩をまいて、ゆかりをよんでいます。

だけど、返事はなく、二階《かい》のゆかりの部屋では、うすよごれた糸電話が、床《ゆか》にコロンところがっているだけでした。

山岸《やまぎし》さんの話が終わって、ぼくは息をはきだした。

電話は切ってしまえばそれで終わりだけど、糸電話は糸があるかぎり、相手とつながっ

ているのだ。たしかに、糸電話もけっこう怖《こわ》いな、とぼくが思っていると、

「はい、おまちどうさま」

良美《よしみ》さんが朝食をもってきてくれた。

「ありがとうございます」

目の前にならべられたメニューを見て、ぼくのおなかがぐうとなった。

あたたかいごはんに焼《や》き魚、おみそ汁《しる》に卵焼《たまご》き。

最悪、野宿も覚悟《かくご》したことを考えると、あたたかい布団《ふとん》でねられて、こんなごうかな朝ごはんまで食べられるなんて、まるで天国だ。

これで、怪談《かいだん》の調査《ちょうさ》がなかったらな……そんなことを思いながら、朝食を食べていると、良美さんが湯飲みを手に、ぼくのむかいに腰《こし》をおろした。ぼくはちょっとまよってから、

「あの……庭に大きな蔵《くら》がありますけど、あの蔵にはなにが入ってるんですか？」

ときいた。良美さんは湯飲みをもったまま、小さく首をかしげた。

「わたしもほとんど入ったことはないけど、物置みたいなものじゃないかな」

「たとえば、人形が入ってたりとか……」

「それはどうかしら」

良美《よしみ》さんは眉《まゆ》をよせた。

「この村では、役目を終えた人形は、なるべくお寺で供養《くよう》するから、蔵《くら》にはあまり置かないと思うわよ」

だったら、あの白い顔はなんだったんだろう、と思っていると、

「良美さんは、この村のご出身ですか？」

山岸《やまぎし》さんがとつぜん横からたずねた。

「いいえ」

「だったら、ご自分の人形はおもちじゃないんですか？」

「ああ、それなら結婚《けっこん》したときにつくってもらったわ」

良美さんはほほえんだ。

よその人がこの村の人と結婚するときは、結婚相手の家が人形をつくってくれるらしい。

「結婚式のときも、人形をいっしょにつれていくのよ。びっくりしちゃった」

そういいながら、くすくすと笑う。

「まるで冥婚《めいこん》ですね」

山岸《やまぎし》さんがいった。

「メイコン？」

「冥土《めいど》の結婚《けっこん》――つまり、死んでからする結婚のことです。地方によっては、死んだ人の人形をつくって、その人形同士《どうし》を結婚させる、という風習があるんですけど……もし気を悪くされたらすいません」

「へーえ、おもしろいわね」

良美《よしみ》さんは気を悪くしたふうもなく笑った。

「それって、死んだ人同士で結婚するっていうこと？」

「そうですね。人形ではなく絵馬をつかう方法もありますけど、ほとんどは死んだ人同士です」

山岸さんの言葉に、良美さんは首をかしげた。

「ほとんどはっていうことは、ちがうこともあるの？」

「ええ」

山岸《やまぎし》さんはくちびるのはしを少しあげた。

「ときには、死んだ人と生きている人が結婚《けっこん》することもあるんです」

『死後婚《しごこん》』

「え？　亡《な》くなった？」

K《ケー》さんは電話口で、思わず声をあげた。

電話は実家の母親からで、先週、Kさんがお見合いをした相手の女性《じょせい》が、事故《じこ》で亡くなったというのだ。

就職《しゅうしょく》して三年目。

仕事がおもしろくて、結婚のことはまったく考えていなかったKさんが、父親の遠縁《とおえん》の女性からぜひにとたのまれて、形だけでいいからと、お見合いをすることになったのが、一週間前のことだった。

相手の女性《じょせい》はひとつ年上のおとなしい人で、お見合いの席《せき》でもうつむきがちで、あまりしゃべらなかった。

悪い人ではなかったけれど、会話もはずまず、ほうっておけばむこうからことわってくるだろうと、お見合いしたことじたい、わすれかけていたときの連絡《れんらく》だった。

まだわかいのに、お気《き》の毒《どく》だな、くらいに思っていたK《ケー》さんは、電話口で母親が口にした言葉に、さらにおどろいた。

「それで、先方さんは、できればおまえと結婚式《けっこんしき》をあげてもらいたいっておっしゃってるんだけどね……」

あらためて話をきくと、相手の女性の郷里《きょうり》には〈死後婚《しごこん》〉という風習があるらしい。

これは、別に結婚《けっこん》相手をあの世につれていこうというものではなく、あくまでもわかくして亡《な》くなった人の魂《たましい》をなぐさめるための風習なのだそうだ。

正直なところ、あまり気のりはしなかったけれど、先方の両親にたのみこまれたのと、遠縁《とおえん》とはいえ親戚《しんせき》ということもあって、かたちだけ式をあげることになった。

女性《じょせい》が檀家《だんか》になっているお寺で、かんたんな式をあげてもらい、高さ二十センチくらいの小さなこけしをうけとる。

これが花嫁《はなよめ》ということだろう。

部屋のすみでいいので置いてやってください、と先方の両親にいわれて、K《ケー》さんは家に帰ると、こけしを玄関《げんかん》のくつ箱の上に置いた。

そして、朝でかけるときには「いってきます」、帰ってきたら「ただいま」と声をかけるようにした。

それから何日かたった、ある朝のこと。Kさんはコーヒーのかおりで目をさました。

起きあがると、リビングのテーブルに、いま入れたばかりのコーヒーが置いてある。

不思議に思ってとじまりを確認しても、だれかが入った形跡《けいせき》はない。

ふと気づくと、こけしがキッチンに移動《いどう》している。

まさかと思って顔を近づけると、こけしからかすかにコーヒーのかおりがした。

本当なら、怖《こわ》くなってもおかしくないけれど、こけしのやさしい笑顔《えがお》を見ていると、K

さんは怖《こわ》さよりもむしろやすらぎを感じた。

朝の明るい光をあびながらコーヒーを飲むと、K《ケー》さんはこけしに「ありがとう」といって、家をでた。

次の日も、また次の日も、朝起きるとコーヒーがいれてあった。

Kさんは、彼女《かのじょ》の両親に連絡《れんらく》しようかとも考えたけど、結局やめておいた。

信じてもらえるとはかぎらないし、もし信じてくれたとしても、じっさいに見にきたときに、なにもおきなければ、たちの悪いイタズラになってしまう。

Kさんはこの出来事を、自分の心の中にとどめておくことにした。

そんなある日、Kさんは会社の後輩《こうはい》の女の子から、つきあってほしいといわれた。

Kさんも以前から気になっていた子だったので、ふたりはつきあうことになった。

それから数日後。

彼女が仕事中に、車で事故《じこ》を起こした。

さいわいかるいけがですんだけど、Kさんがお見舞《みま》いにいくと、

「車のブレーキが、とつぜんふめなくなったんです。なんだか、ペダルの下にあき缶《かん》でも

はさまったみたいに……」

病院のベッドで彼女《かのじょ》はそういった。

家に帰って、K《ケー》さんはドキッとした。

こけしの表面に、今朝《けさ》はたしかになかったはずの、なにかでふまれたようなきずが、はっきりとのこっていたのだ。

数日後、今度は彼女が、病院の階段《かいだん》でなにかかたいものをふんで足をふみはずし、けがをしたという連絡《れんらく》が入った。

まさかと思ってたしかめてみると、今度はこけしから病院特有の消毒《しょうどく》の匂《にお》いがした。

なやんだ末、Kさんは父親に相談《そうだん》して、先方の両親とあうことにした。

そこで、じつは亡《な》くなった彼女とKさんは、まだ幼稚園《ようちえん》のころに親戚《しんせき》の集まりであっていたことがわかった。しかもそのとき、Kさんは彼女と結婚《けっこん》するといっていたらしい。

「あのお見合いは、むすめの希望だったんです」

彼女の父親からそうきかされて、Kさんは胸《むね》がつまる思いだった。

家に帰ったK《ケー》さんが、恋人《こいびと》ができたこと、その恋人を大事に思っていることをこけしに正直につげると、こけしの目からスッと涙《なみだ》がこぼれた。

その後、Kさんはその後輩《こうはい》と結婚《けっこん》したが、こけしはいまでもKさんの家にあるらしい。

「亡《な》くなってもなお、Kさんのことを思っていたんでしょうね」

山岸《やまぎし》さんは、そんなふうに話をしめくくると、

「ごちそうさまでした」

手をあわせて席《せき》を立った。

山岸さんと黒ネコが部屋からでていくと、

「あなたたち、こんな話ばっかり集めてるの？」

良美《よしみ》さんがあきれたような顔でいった。

「ええ、まあ……」

集めたくて集めてるわけじゃないんですけど……という言葉をのみこんで、ぼくがうなずくと、

「仕事だったらしかたないけど……ほどほどにしておいたほうがいいわよ」

良美《よしみ》さんは真剣《しんけん》な顔でいった。

「これは、わたしの学生時代の話なんだけどね……」

『怪《かい》談《だん》集め』

大学生のときの話なんだけど、同級生に、怪談を集めてる男の子がいたの。

目標は百個《こ》。それも、ただ数を集めるだけじゃなくて、本当におもしろい怪談だけを、自分でたしかめて集めるんだっていってた。

なんでも、将来《しょうらい》は作家になるのが夢《ゆめ》で、怪談を百話集めるのは、そのための訓練《くんれん》なんだっていってたわ。

はじめのうちは、大学の教室にでる自殺《じさつ》した学生の幽霊《ゆうれい》とか、近所の高架下《こうかした》にでる足だけの幽霊とか、大学のまわりをうろうろするくらいだったんだけど、だんだんネタもなくなってきたのか、事故《じこ》がやたらと多い踏切《ふみきり》とか、自殺者《じさつしゃ》の多いがけなんかにはりこむようになったの。

心配した同級生が、ほどほどにするように声をかけても、ぜんぜんきかなくて……。

彼《かれ》は集めた怪談《かいだん》を、一冊《さつ》のノートに書きためてたんだけど、そのノートが、異様《いよう》に重くなってきたの。ただの大学ノートのはずなのに、まるでなまりでも入ってるみたいに……。

それからしばらくして、彼の自転車がパンクしたの。

彼はアパートから大学に自転車で通ってたんだけど、その自転車の前輪と後輪が、同時にパン、って破裂《はれつ》しちゃって。自転車屋さんも、タイヤが両方、同時にパンクするなんてありえない、っていってたそうよ。

それ以外にも、彼のまわりではおかしなことがつづいたの。彼が教室に入ってきたとたん、蛍光灯《けいこうとう》がいっせいに点滅《てんめつ》をはじめたり、近づいてきたネコが、彼とすれちがった瞬間《しゅんかん》あわをふいてたおれたり……。

それでも、彼は怪談集めをやめなかった。

そして、とうとうある日、事件《じけん》が起きたの。

彼《かれ》はアパートの二階《かい》に住んでたんだけど、地震《じしん》もなにも起こってないのに、彼の部屋の床《ゆか》だけがとつぜんぬけおちたの。

さいわい、真下は空《あ》き部屋だったから、彼以外にけが人はでなかったんだけど、救急車《きゅうきゅうしゃ》ではこばれた彼を診察《しんさつ》したお医者さんは、かけつけた家族に、首をひねりながらこういったそうよ。

「あの人は、いったいなにをしたんですか？　けがだけじゃない。内臓《ないぞう》がずたずたになってますよ」


「――結局、退院《たいいん》するまで一年近くかかったんですって」

良美《よしみ》さんはそういって、ぼくの目をじっとのぞきこんだ。

「だから、くれぐれも気をつけてね」

「はい」

ぼくは心からうなずいた。

部屋にもどると、山岸《やまぎし》さんがデジカメの画像《がぞう》を見ながら、紙になにかを描《か》いているところだった。

どうやら、この村の地図のようだ。

「なにしてるんですか？」

「うん、ちょっとね」

山岸さんは地図の中に、いくつかの×印《じるし》を描きこむと、「よし、できた」といって、ぼくにさしだした。

「この印をつけたところを順にまわって、怪談《かいだん》がないか調べてきてくれないか」

山岸さんによると、この×印をつけたところに、〈本物の怪談〉がある可能性《かのうせい》が高いらしい。

「なんでそんなことがわかるんですか？」

「経験《けいけん》と直感《ちょっかん》だよ」

山岸さんはにやりと笑った。

「ぼくぐらいになると、その村の地形を見ただけで、どこになにがあるか、だいたいわかるんだ」

だったら、わざわざ見にいかなくてもいいじゃないか、と思いながら、ぼくは地図に目を落として、×印《じるし》をさがした。

たしかに、お寺とか村のはずれにある塚《つか》とか、なにかありそうな場所ばかりだ。

「山岸《やまぎし》さんはどうするんですか？」

いつもなら、山岸さんが率先《そっせん》して調べにいくはずなんだけど、

「ぼくは、帰り道をさがしにいくよ。道にまよったのはぼくの責任《せきにん》だから、なるべく早く帰る方法をみつけないとね」

と、めずらしく殊勝《しゅしょう》なことをいった。

山岸さんがこういうことをいうのはめずらしいので、なにかうらがありそうな気もしたけど、考えてもしかたがない。

とにかく、助手に拒否権《きょひけん》はないのだ。

「わかりました」

ぼくはしぶしぶうなずいた。

お昼にはいったんもどるから、という山岸《やまぎし》さんを見送ると、ぼくもコートを着てリュックをせおった。

「ちょっとでかけてきます」

と声をかけると、

「あなたもたいへんね」

といいながら、良美《よしみ》さんがあたたかいお茶をもたせてくれた。

門をでたぼくは、地図を片手《かたて》にまがりくねった坂をおりた。

空は晴れているし、風もそれほど強くなくて、外を歩くにはちょうどいい天気だ。

足首の痛《いた》みもかなりひいて、順調に坂を下っていると、下のほうから、歌声のようなものがかすかにきこえてきた。

木にさえぎられて見えにくいけど、どうやらだれかが、まりつきをしているようだ。
中に鈴《すず》でも入っているのか、バレーボールぐらいの赤いボールが、
タン、タン、タン
と地面につくのにあわせて、
リン、リン、リン
と鈴の音がきこえてくる。
だけど、かんじんの歌の内容《ないよう》がはっきりとききとれず、とぎれとぎれにきこえてくる歌詞が、

おくびさま……かくれましょ……くびをわたし……

と、けっこう怖《こわ》いものだった。
しかも、木のかげにかくれて顔がなかなか見えないので、坂の下で、自分の首でまりつきをしている首のない女の子のイメージが頭にうかんで、背中《せなか》がゾワゾワッとした。

それでも、坂をおりないわけにはいかない。

あと一回まがれば下につく、というところまできて、ようやく歌声がはっきりときこえてきた。

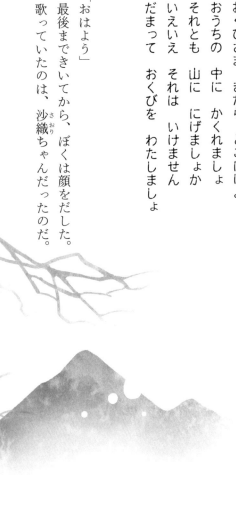

おくびさま　きたら　どこにげよ
おうちの　中に　かくれましょ
それとも　山に　にげましょか
いえいえ　それは　いけません
だまって　おくびを　わたしましょ

「おはよう」

最後まできいてから、ぼくは顔をだした。

歌っていたのは、沙織《さおり》ちゃんだったのだ。

「あ、おはよう」

　ボールと同じ、赤のダウンコートに身《み》をつつんだ沙織《さおり》ちゃんは、まりを手元にキャッチすると、にっこり笑った。

「いまのって、おくびさまの歌？」

　ぼくがたずねると、沙織ちゃんはうなずいた。

「うん。浩介《こうすけ》くん、おくびさまを知ってるの？」

「昨夜《ゆうべ》、村長さんのお母さんにきいたんだ」

「ああ、おおばあさまね」

「おおばあさま？」

「この村の人は、みんなそうよんでる

の。どこかにおでかけ？」

「うん。ちょっと、村の中をね……」

ぼくは地図を見せて、怪談《かいだん》をさがしにいくのだといった。

「だったら、案内してあげようか？」

「え、ほんと？」

ぼくは声をはずませた。

「うん。きのうのおかえし」

「え？」

ぼくが首をかしげると、沙織《さおり》ちゃんはてれたような表情《ひょうじょう》をうかべた。

「本当は、いまも浩介《こうすけ》くんにあいにいこうと思ってたの。ほら、カラスから助けてもらったお礼を、ちゃんといってなかったから」

「あれは別に……」

ぼくは頭をかいた。あの状況《じょうきょう》だったら、だれでも助けにいくと思う。

「だけど、家にいくには、ちょっと時間が早いかなと思って、時間つぶしにまりつきをしてたら、ちょうどおりてきてくれたの」

「そうなんだ」

ぼくが村長さんの家にいるかどうかもわからないのに、ずいぶん義理《ぎり》がたいんだな、と思いながら、ぼくたちはキンとした空気の中を、ならんで歩きだした。

きのう、夕方に通った道を反対にたどる。

明るい空の下で見ると、田んぼの中にぽつんぽつんと立つかかしたちが、いっそうさむざむしく見えた。

「そういえば、さっきの歌なんだけど……」

ぼくは歩きながら、沙織《さおり》ちゃんに顔をむけた。

「おくびをわたしちゃってもいいの？」

「いいの」

沙織ちゃんは、胸元《むなもと》にだいたボールを、ぽんとたたいて笑った。

「だって、わたすのは人形のおくびだから」

なるほど。にげずに人形の首をわたせば助かるというわけだ。

「沙織《さおり》ちゃんも、家に自分の人形があるの？」

「……あるよ」

沙織ちゃんは、なぜかちょっと間《ま》をあけてからうなずいた。

「でも、本当の自分の人形はひとつだけだから、もし首をとられたら、またすぐにあたらしい人形をつくらないといけないの」

「ぼくは人形がひとつもないからな……」

急に不安になって、ぼくは自分の頭をおさえた。

「もしおくびさまがあらわれたら、もっていかれちゃうかも」

「だいじょうぶよ」

沙織ちゃんは笑っていった。

「一番だけなら、おくびさまはこないから」

「っていうことは、二番があるの？」

「うん」

沙織ちゃんはまじめな顔でうなずいた。

「だけど、二番を歌うと、おくびさまがきちゃうから、ぜったいに歌っちゃいけないの」

そんな話をしているうちに、ぼくたちは最初の目的地、児童公園にやってきた。

そこは、昔ながらの公園だった。

カラフルな複合遊具《ふくごうゆうぐ》も、幼児用のブランコもなく、ふつうのブランコに、下にタイヤもなにも置いてないシーソー、犬よけ用のフェンスがない砂場《すなば》やジャングルジムがならんでいる。

一つ目の×印《じるし》は、この公園だ。

ぼくたちはベンチにならんで腰《こし》をおろすと、公園の中を見まわした。

冬休みだというのに、公園で遊ぶ子どもの姿《すがた》はなく、がらんとしている。

風にふかれて、ブランコだけがわずかにゆれていた。

「ここには、どんな怪談《かいだん》があったりするの？」

ぼくがきくと、沙織《さおり》ちゃんはちょっと空を見あげてから、

「わたしが知ってるのは、トイレの花子《はなこ》さんかな」

といった。

「トイレの花子《はなこ》さん？」

意外なこたえに、ぼくはききかえした。

「トイレの花子さんって、学校にいるんじゃないの？」

「え？　そうなの？」

今度は沙織《さおり》ちゃんが目をまるくした。

「わたしは公園にいるものだと思ってたけど……」

考えてみれば、ぼくの学校の花子さんも、トイレではなく保健室《ほけんしつ》にいたような気がする。

「それって、どんな話？」

「わたしが知ってるのはね……」

ヒューッと音をならしてふきぬける北風に肩《かた》をすくめながら、沙織ちゃんは話しはじめた。

大晦日《おおみそか》の夕方のこと。

ひさしぶりに実家に帰ったA《エー》さんは、買い物からの帰り道、今年六歳《さい》になるむすめの手をひいて、近所の西公園のそばを通りかかった。

年末の寒い季節。日も暮《く》れてきたせいか、公園に人かげはない。

そのとき、むすめが「トイレ」といいだした。

家までは、まだ十分近く歩かないといけない。

Aさんはできればいきたくなかったけど、まよったすえ、公園のトイレによることにした。

ベンチに買い物袋《ぶくろ》を置いて、ついていこうとすると、

「もうひとりでいけるから、ママはここでまってて」

口をとがらせたむすめに、おしもどされてしまった。

Aさんは苦笑しながら、ベンチに腰《こし》をおろして、公園を見まわした。

(二十年ぶりかな。そのわりには、全然変わってないな……)

早く帰って、お正月の準備《じゅんび》をしなきゃ……そんなことを考えていたAさんは、ふと、むすめの帰りがおそいことに気がついた。

荷物《にもつ》をおいてトイレをのぞくと、子どもの話し声がする。

ほかにも子どもがいたのかな、と思って近づくと、

「いっしょにあそぼ」

と、女の子の声がきこえてきた。

「いいよ。なにしてあそぶ?」とむすめの声。

「それじゃあ、かくれんぼ……」

女の子の、笑いをふくんだような声に、

「だめ!」

A《エー》さんはとっさにトイレにとびこむと、むすめをだきかかえてとびだした。

視界《しかい》のはしに、赤いスカートの女の子がうつる。

Aさんはベンチまでもどると、むすめの肩《かた》をつかんで、

「だれと話してたの?」

ときいた。

むすめはきょとんとしながらも、

「知らない女の子。でも、お友だちになったんだよ」

とこたえた。

「どんな女の子だった？」

「えっとねえ……ちょっとおねえちゃんで、白いシャツを着てて……あ、自分のこと、花《はな》子《こ》さんっていってた」

Ａ《エー》さんは体をぶるっとふるわせると、

「あの子とは、遊んじゃだめよ」

強い口調でそういった。

「どうして？」

首をかしげるむすめに、Ａさんは話しはじめた。

「昔ね……」

それは、Ａさんが小学生のときのこと。

西公園のトイレに、花子さんという女の子の幽霊《ゆうれい》がでるといううわさがあった。

夕方の四時四十四分に、四番目のトイレのドアを四回ノックして、

「はーなこさん。あーそーぼー」

とよびかけると、赤いスカートに白いブラウス、おかっぱ頭の女の子があらわれて、

「なにしてあそぶ？」

ときいてくるというのだ。

三年生か四年生のとき、A《エー》さんは友だち四人で、そのうわさをためしてみることにした。

時間通りにトイレのドアをノックして、

「はーなこさん。あーそーぼー」

声をそろえてよびかける。

そのまま、ドキドキしながらまっていると、ドアがギギ――ッ、とあいて、花子《はなこ》さんがあらわれた。

Aさんたちが、金しばりにあったようにうごけないでいると、花子さんがきいてきた。

「なにしてあそぶ？」

「え、えっと……じゃあ、ブランコ！」

友だちの中で、一番気の強い子がそうこたえると、

「いいよ」

花子《はなこ》さんはニヤリと笑った。すると、次の瞬間《しゅんかん》、

「きゃ――――!」

女の子は、うしろから強い力でひっぱられるように、ずるずるとひきずられていった。

そして、そのままブランコにすわらされると、

ギーコ、ギーコ、ギーコ……

ブランコが前後に勝手にゆれだした。

そのいきおいはどんどん強くなって、友だちは泣きそうになりながら、必死でくさりにしがみついている。

「あなたは、なにしてあそぶ?」

「え……す、砂場《すなば》!」

別の子がこたえると、
その子も同じように、砂場《すなば》にひきずられていった。そして、

「きゃ――――!」

ザザー、ザザー
上から大量の砂がふりそそいだかと思うと、そのままうもれて姿《すがた》が見えなくなった。

その様子を見ていたA《エー》さんは、

「あなたは?」

ときかれて、とっさに、

「ジャングルジム」

とこたえた。

気がついたら、Aさんは巨大《きょだい》なジャングルジムの中にいた。

上下左右、どこを見ても、先が見えないくらいのジャングルジムがつづいている。

A《エー》さんがなんとかしてでようともがいていると、遠くのほうで、四人目の友だちが、
「かくれんぼ」
とこたえるのがきこえた。

Aさんたちは翌朝《よくあさ》、公園で発見された。

ブランコとこたえた子は、一晩中《ひとばんじゅう》ブランコでゆられつづけて、最後にはくさりにからまった状態《じょうたい》で見つかった。

砂場《すなば》からは、友だちが首まで砂にうまって発見された。

そしてAさんは、一晩中にげだそうとして、つかれきった状態で、ジャングルジムの中心にぶらさがっているところを助けられた。

「――でも、かくれんぼってこたえた子だけは、結局見つからなかったの」

Aさんはむすめの肩《かた》をつかんで真剣《しんけん》なまなざしでいった。

「だから、この公園で知らない女の子に、かくれんぼにさそわれても、ぜったいに遊んじゃだめよ」

「はーい」

むすめはいまひとつ理解《りかい》していない様子だったが、母親のいうことに、すなおにうなずいた。

「さあ、帰りましょ」

A《エー》さんが、むすめの手をひいて公園をでようとすると、

ギーコ、ギーコ、ギーコ

ザザー、ザザー、ザザー

ギッコン、バッタン

遊具がまるで、バイバイをするように、いっせいにうごきだした。

「それが、この公園のトイレの話なんだって」

沙織《さおり》ちゃんはそう話をしめくくると、立ちあがって、

「見にいってみる?」

といった。

ちょうどベンチの正面に、公衆《こうしゅう》トイレが見える。

ぼくはちょっとまよったけど、いまは夕方じゃないし、だいじょうぶだろうと思って、見にいくことにした。

トイレはどうやら、男女共用らしい。

中に入ると、個室《こしつ》のドアが四つならんでいた。

一番奥《おく》のドアを、沙織ちゃんがノックして、

「はーなこさーん」

とよびかける。

すると、一拍《ぱく》おいて、中からかぼそい声で、

「はーい」

と返事がかえってきた。

もしかして、ぐうぜん人が入ってたのかな、とぼくたちが顔を見あわせていると、ギーッとドアがあいて、赤いスカートに白いブラウスの女の子があらわれた。

「なにして遊ぶ？」

そういって、ニヤリと笑う女の子に、ぼくたちがなにもこたえられずにいると、

「わたし、まりつきがいいな」

女の子はそういって、沙織《さおり》ちゃんが手にしていたボールを指さした。

「それ、貸《か》して」

沙織ちゃんがボールをさしだすと、女の子はトイレの外にでてきて、さっき沙織ちゃんが歌っていたてまり歌を、器用にボールをつきながら歌いだした。

おくびさま　どこに　いらっしゃる
おうちの　中に　いらっしゃる
それとも　お山に　いらっしゃる……

「二番だ……」

沙織《さおり》ちゃんがつぶやく。

それをきいたぼくは、

「にげよう！」

とっさに沙織ちゃんの手をつかんで、公園からにげだした。


「あー、びっくりした」

公園からじゅうぶんはなれたところで、ぼくは足をとめて息をととのえた。

「あ、ごめん。ボール……」

ぼくが、ボールを置いてきたことを思いだしてあやまると、

「いいよ、気にしないで」

沙織《さおり》ちゃんはほほえんで、それからちょっと真剣《しんけん》な顔になった。

「それより、ああいうことって、本当にあるんだね」

「ああいうこと？」

「話してた怪談《かいだん》が、じっさいに起こること」

「まあね」

ぼくは小さく肩《かた》をすくめた。

「とくに、この村は霊的《れいてき》な力が強いらしいからね。山岸《やまぎし》さんは、あの山が霊山《れいざん》で、山から霊の通る道がおりてきてるっていってたけど」

ぼくはそういって、きのう、自分たちがこえてきた山を、だいたいのけんとうをつけて指さした。

沙織ちゃんは山を見あげて、「そういえば」と口を開いた。

「あの山には昔、天狗《てんぐ》が住んでたらしいよ」

「天狗《てんぐ》？」

ぼくの頭に、まっ赤な顔に鼻ののびた、漫画《まんが》にでてくるような天狗の顔がうかんだ。

「天狗って、あの天狗のこと？」

「うん。浩介《こうすけ》くん、天狗だおしって知ってる？」

前に、山岸《やまぎし》さんからきいたことがあるような気がするけど、ぼくは首をふった。

「なんだっけ」

「山の中で、急に木がたおれるみたいな大きな音がして、見にいくとなにも起こってないの。それが、天狗のしわざだっていうんだけど……」

「天狗はどうしてそんなことをするんだろ」

「天狗は山の神さまだから、人間が入っちゃいけないところに入ってきたり、したらいけないことをしたときに、警告《けいこく》のためにするらしいよ」

「警告か」

そんな話をしながら、ぼくたちは次の×印《じるし》を目指して歩きだした。

足元はいつのまにか、舗装《ほそう》された道から、じゃり道に変わっている。

「あ、思いだした」

沙織《さおり》ちゃんが道の途中で、とつぜん足をとめた。

「わたしの友だちのお母さんが、昔、このへんで天狗《てんぐ》がえしにあったことがあるっていってた」

「天狗がえし？　天狗だおしじゃなくて？」

「まわりにだれもいないのに、空からとつぜん小石とかがふってくることを、天狗つぶてっていうらしいんだけど、そのお母さんがあったのは天狗がえしっていって……」

『天狗《てんぐ》がえし』

沙織ちゃんの友だちのお母さんが、まだ子どものころの話。

学校から帰る途中《とちゅう》、じゃり道を歩いていると、

「かえしてやろう」

とつぜん空から声がふってきて、えんぴつとか消しゴムが、目の前にばらばらとおちてきた。

風でとぶようなものじゃないし、第一、かえしてやろうといわれても、見おぼえのないものばかりだ。

不思議に思いながらも、次の日学校にもっていくと、ひとつ上の学年の子が、きのうの午後、学校帰りに山を探検《たんけん》していて落とした物だとわかった。

「天狗《てんぐ》が山でひろったはいいけど、名前が書いてなかったから、だれにかえせばいいのかわからなくて、てきとうになげてきたんだろう」

先生はそういって笑ったそうだ。


「――だから、持ち物には名前を書いておきなさい、っていわれたんだけどね」

沙織《さおり》ちゃんはそういって、肩《かた》をすくめた。

どうやら、天狗をだしにつかった、教訓話《きょうくんばなし》のようだ。

「小学校って、どこにあるの?」

地図を見直しながらぼくがきくと、沙織《さおり》ちゃんは「村にはないの」とこたえた。

話をきいておどろいた。

小学校は村にはないので、山のむこうまで、毎日バスで通っているというのだ。

沙織ちゃんの通う小学校には、まわりの町や村から子どもたちが集まってくるんだけど、それでも全校で八十人くらいしかいないらしい。

「わたし、この村から、ほとんどでたことがないの」

足元に視線《しせん》を落としながら、さびしそうにつぶやく沙織ちゃんに、

「だったら、今度、ぼくの住んでるところに遊びにおいでよ」

ぼくは元気づけるようにいった。

「お礼に案内するからさ」

「ほんと? いいの?」

沙織ちゃんが、うれしそうに笑ったので、ぼくも笑ってうなずいた。

次の×印《じるし》は、お寺についていた。

「お寺の怪談《かいだん》って、なにか知ってる？」

じゃり道を並《なら》んで歩きながら、ぼくがたずねると、

「カツカツばあさんぐらいかな」

沙織《さおり》ちゃんが、記憶《きおく》をさぐるように、ぽつぽつと話しだした。

『カツカツばあさん』

お寺は、八十段《だん》近くある石段《いしだん》の上に建っている。
ある男性《だんせい》が、お寺にむかって石段をのぼっていると、うしろから、
カツ、カツ、カツ

と音がきこえてきた。

だれかがうしろからのぼってきてるのかな、と思ってふりかえると、石段《いしだん》の下におばあさんの姿《すがた》が見える。

そうか、おばあさんのくつの音だったのか、と思ってのぼっていると、また、

カツ、カツ、カツ

と音がする。

なんだかずいぶん近いな、と思ってふりかえると、おばあさんはすぐうしろまでせまっていた。

その姿を見て、男性《だんせい》は目をむいた。

そのおばあさんには下半身がなく、石段をひじでのぼっていたのだ。

「足をくれ〜」

男性《だんせい》が悲鳴をあげてにげだすと、おばあさんもスピードをあげて、おいかけてきた。

カツ、カツ、カツ、カツ、カツ、カツ……

もう少しで追いつかれるというところで、門の中にとびこんでふりかえると、音は消えて、おばあさんの姿《すがた》も見えなくなっていた。

「これが『カツカツばあさん』で、追いつかれると下半身をとられちゃうんだって」

昔、石段《いしだん》で足をすべらせておちたところに、走ってきた車にはねられて、体がまっぷたつになったおばあさんの霊《れい》らしい。

ひじでおいかけてくるおばあさんの幽霊《ゆうれい》の姿を想像《そうぞう》して、ぼくがゾッとしていると、村中に大きなサイレンがなりひびいた。

「あ、お昼だ」

どうやら、正午《しょうご》を知らせるサイレンらしい。

「そろそろ帰らなきゃ。お昼には帰るっていってきたから」

「そっか」

ひとりでお寺にいくのは正直不安だったけど、ひきとめるわけにもいかない。

「カツカツばあさんに気をつけてね」

沙織《さおり》ちゃんはそういいのこして、手をふりながら帰っていった。

沙織ちゃんは怖《こわ》がらせるつもりじゃなく、警告《けいこく》するつもりで話してくれたんだろうけど、霊媒体質《れいばいたいしつ》のぼくの場合、怪談《かいだん》を語れば怪談がよってくるのだ。

いちおうまわりに気をつけながら、ぼくは石段《いしだん》をのぼりはじめた。

すると、三分の一ほどのぼったところで、うしろから、

カッ、カッ、カッ

という音がきこえてきた。

ちょうど、女の人のハイヒールみたいな音だ。

ふつうに考えれば、だれかがうしろからのぼってきてるんだろうけど、もしおばあさんの幽霊《ゆうれい》が、ひじでのぼってきたりしてたらと思うと、ふりかえるのが怖《こわ》い。

でも、音はどんどん近づいてくるし……。

がまんできなくなって、走りだそうとしたところを、だれかにうしろから手をつかまれて、ぼくははでな悲鳴をあげた。

「ひゃあっ！」

「どうしたんだい」

ふりかえると、山岸《やまぎし》さんがぼくの手をつかんでいた。

「あれ？　山岸さん。でも、いま……」

ぼくが、カツカツばあさんの話と、いまハイヒールのような音がしたことを話すと、

「ああ、それは悪かったね」

山岸さんはぞうりをぬいで、上下に軽くふった。

ぞうりのうらにはさまっていた小石が、石段《いしだん》にあたって、カッ、と音をたてた。

「あんたたちが、村長のところの客人《きゃくじん》か。話はきいてるよ」

寺の門をくぐると、住職《じゅうしょく》さんがまってていたかのようにでむかえてくれた。見た目は七十代くらいの、ちょっと怖《こわ》そうなおじいさんだけど、声や態度《たいど》はやわらかい。

「なんでも、各地の言い伝えを集めてまわってるそうだが、そんなものを集めて、いったいどうするんだ？」

住職さんは、本堂《ほんどう》にぼくたちをまねきいれて、お茶をだすと、そんな問《と》いを口にした。

「怪談《かいだん》を集めた本をつくりたいと思っているんですが、ご住職はなにかご存《ぞん》じないですか？」

山岸《やまぎし》さんがたずねると、

「そうだなあ……」

住職さんは天井《てんじょう》を見あげて、腕《うで》をくんだ。

「あの……さっき、きいたんですけど……」

ぼくが、カッカッばあさんの話をすると、

「はっはっは」

住職《じゅうしょく》さんは大口をあけて笑った。

「それはたぶん、たぬきのしわざだよ」

「たぬきですか？」

ぼくは目を丸くした。

「ああ。たぬきも長生きをすると、みょうな術《じゅつ》をおぼえたりするもんだ。だいたい、この田舎《いなか》道を、体をまっぷたつにするようなスピードで走る車なんてあるわけないだろう」

住職さんの理にかなった意見に、ぼくはうなずくしかなかった。

「それじゃあ、おくびさまも、もしかしてたぬきのしわざですか？」

山岸《やまぎし》さんの言葉に、住職さんは「おや？」という顔をすると、

「その話、だれからきいた？」

といった。

「村長さんのお母さまからうかがいました」

山岸《やまぎし》さんがこたえると、住職《じゅうしょく》さんは「うーん」とうなって、

「あれはまあ、死神のようなものだからな」

おおばあさまと、同じような台詞《せりふ》を口にした。

住職さんによると、おくびさまにはふたつの言い伝えがあるらしい。

ひとつは、おくびさまがたずねてきた家からは、近く死人がでるというもの。

もうひとつは、おくびさまの姿《すがた》を見たものは、首をとられるというもの。

「おそらく、先の言い伝えから、死神の姿を見てはいけないということで、あとの言い伝えができたのじゃろう」

と、住職さんはいった。

「おくびさまが家にやってきたら、どうしたらいいんですか？」

ぼくがたずねると、住職さんは「どうしようもない」と首をふった。

「家にたずねてくるおくびさまは、寿命《じゅみょう》を知らせにくるだけじゃから、のがれることはできん。ただ、おくびさまを見てしまった場合は、人形を身《み》がわりにして首をさしだせば、助かるといわれておる」

住職《じゅうしょく》さんの話をきいているうちに、ぼくはいやなことに気がついた。

いま、この村で自分の人形をもってないのは、ぼくと山岸《やまぎし》さんだけだ。

そして、山岸さんはふつうの人間ではない。

ということは、人形がないのは、ぼくひとりだけということになるのだ。

しかも、ぼくと山岸さんが怪談《かいだん》に遭遇《そうぐう》すると、その怪談が現実《げんじつ》になることが多いし、とにかくおくびさまにはあわないように気をつけないと、と思っていると、

「そういえば、この寺には亡《な》くなった村人の人形がおさめられているそうですね」

本堂《ほんどう》のすみの暗がりを見つめながら、山岸さんがいった。

「もしよろしければ、拝見《はいけん》させていただけませんか？」

「かまいませんよ。こちらへどうぞ」

住職さんは本堂をでると、わたり廊下《ろうか》を通って、はなれのようなお堂へと、ぼくたちを案内した。

障子《しょうじ》をあけて、中に足をふみ入れた瞬間《しゅんかん》、ぼくは「うわぁ……」と声をもらした。

小さな部屋の中には、何百体という人形が集められていたのだ。

どれも身長は四、五十センチくらいで、頭が大きくて手足もふっくらとしている。布に綿《わた》をつめていて、人形というよりはぬいぐるみに近い感じだった。

特徴的《とくちょうてき》なのはその顔で、たぶんフェルトかなにかをぬいつけてるんだろうけど、その人形のもとになった人の顔がリアルに再現《さいげん》されていた。

「亡《な》くなった人の人形は、必《かなら》ずここにあるんですか?」

山岸《やまぎし》さんがたずねると、住職《じゅうしょく》さんは一度うなずきかけてから、少し考えて、

「そういえば、こんなことがありましたな」

そう前置きをして、語りだした。

『琴《こと》の音《ね》』

掃除《そうじ》のためにお堂《どう》に入った住職は、「おや?」と思った。

一か月ほど前に亡くなった女性《じょせい》の人形が、どこにも見あたらないのだ。

人形は奥《おく》から手前に並《なら》べていくので、だれかがもちだしでもしないかぎり、一番目につくところにあるはずだ。

気になった住職《じゅうしょく》は、その女性《じょせい》の家をたずねることにした。

亡《な》くなった女性は、まだ三十代のわかさだったが、早くに両親を亡くし、ひろい家にひとりで暮《く》らしていた。

女性は琴《こと》を得意《とくい》としていて、近所では琴の音《ね》がきこえてくる家として有名だった。

住職が、女性の縁者《えんじゃ》から借りてきた鍵《かぎ》で家に入ると、きれいにかたづけられた和室に、なぜか琴だけが、ついさきほどまでひいていたように置かれていて、そのそばに女性の人形がころがっていた。

不思議に思いながらも、住職が人形を手に寺に帰ろうとすると、

「住職さん」

とよびとめる声がした。

足をとめてふりかえると、となりに住む家の奥《おく》さんが、不安そうに眉《まゆ》をよせて立っていた。

「なにか？」

「じつは……」

奥《おく》さんの話によると、女性《じょせい》が亡《な》くなってからも、夜になると無人の家からお琴《こと》の演奏《えんそう》がきこえてくるという。

もしかして、人形が女性のかわりに、お琴をひいているのだろうか……。

その日の夜。住職《じゅうしょく》は女性の縁者《えんじゃ》にことわって、人形を手に、家の中で夜になるのを待った。

すると、月の光が庭にさしこむころ、お琴の前にぼんやりと白いかげがあらわれた。

かげはやがて、亡《な》くなったはずの女性の姿《すがた》になって、お琴をひきはじめた。

その美しい音色をきいているうちに、住職はいつのまにかねむってしまった。

目をさますと、女性の姿はすでにどこにもなく、お琴の前にころがった人形の目は、かすかにぬれていた。

「生まれたときにつくられた人形は、いってみれば、双子《ふたご》の姉妹のようなものですからな。ひとりぼっちになった妹のために、お姉さんが琴をひきにもどってきてくれたのでしょう」

住職《じゅうしょく》さんの話を聞きながら、ぼくは学校の怪談《かいだん》のことを考えていた。

公園にいたのはトイレの花子《はなこ》さんだし、ひじで追いかけてくるのはテケテケだ。

いまの住職さんの話だって、場所と楽器を変えれば、夜中の音楽室でひとりでになるピアノの怪談とよく似《に》ている。

もしかしたら、学校ができるずっと前から、町や村にはたくさんの怪談があって、それが形を変えて、学校の怪談になっていったんじゃないだろうか——。

しずかにこちらを見つめる人形たちにかこまれながら、そんなことを考えていたぼくは、

「それじゃあ、浩介《こうすけ》くん。そろそろいこうか」

山岸《やまぎし》さんにうながされて、腰《こし》をあげた。

人形の部屋をでて、障子《しょうじ》が閉《し》まる寸前《すんぜん》、

フフフフフ……

人形たちが、いっせいに笑ったような気がした。

「お帰りなさい。だいじょうぶだった?」

村長さんの家にもどると、良美《よしみ》さんが心配そうにでむかえてくれた。

「あ、はい。なんとか」

ぼくはあいまいにほほえんだ。

まったくなにもなかったわけじゃないけど、最近の怪談《かいだん》の調査《ちょうさ》の中では、まだましなほうだろう。

お昼ごはんを食べ終えると、ぼくは部屋にもどって、山岸《やまぎし》さんに午前中に集めた怪談を報告《ほうこく》した。

山岸さんは、うなずきながら熱心にきいていたけど、最後まできさおえると、

「その公園の話は、なかなかおもしろいね」

腕《うで》をくんで、うなずきながらいった。

「トイレの花子《はなこ》さんですか?」

「うん。問題は、どうしてそこに現《あらわ》れるようになったのかなんだけど……浩介《こうすけ》くん」

「いやですよ」

山岸《やまぎし》さんがなにかいいだす前に、ぼくは手と首を同時にふってあとずさった。

「あいたかったら、ひとりでいってください」

「だけど、さっきは夕方じゃないのに現れたわけだろ。それはやっぱり、浩介くんの怪談《かいだん》憑《つ》きとしての力が……」

「そんなことより、帰り道のほうはどうだったんですか？」

ぼくが話題を変えると、

「うーん……ぼくだけなら、なんとかなるかもしれないけど……」

山岸さんは物騒《ぶっそう》なことをいいだした。

「まさか、置いていくつもりじゃないですよね」

「まさか」

山岸さんはほほえんで、

「ぼくが見すてたりするわけがないだろ？　浩介くんには、まだまだ働いてもらわないといけないいんだから」

ききようによっては、けっこうひどい台詞《せりふ》を口にした。

「土砂崩《どしゃくず》れは、まだ復旧《ふっきゅう》しないいんでしょうか」

「そっちもあまり期待しないほうがいいんじゃないかな」

山岸《やまぎし》さんはなぜか断言《だんげん》するようにいった。

「まあ、いざとなったら木でいかだをくんで、あの川をくだっていけば、いつかは海にたどりつくだろう」

「……冗談《じょうだん》ですよね？」

ぼくがいちおう念《ねん》のためにたしかめると、山岸さんは、それには直接《ちょくせつ》こたえずに、

「午後からも、ぼくたちは帰り道をさがしにいくから、怪談《かいだん》の調査《ちょうさ》のほうは引き続きたのんだよ」

そういいのこすと、黒ネコといっしょにさっさと部屋をでていった。

そのうしろ姿《すがた》を見送って、ため息をつくと、ぼくは地図をとりだして、午後の行き先を確認《かくにん》した。

のこっている×印《じるし》は、あとひとつ――村はずれにある六部《ろくぶ》の塚《つか》だけだ。

ぼくはお茶を飲んでひと休みすると、リュックをせおって村長さんの家を出発した。

それにしても、人がいないなあ――田んぼにかこまれた道をひとり歩きながら、ぼくはあらためて、人気《ひとけ》のなさを感じた。

今朝《けさ》はそれでも、まだ何人かの村人を見かけたんだけど、寒くなってきたせいか、午後はだれともすれちがわない。

土砂崩《どしゃくず》れで村からでられないから、みんな家の中に閉《と》じこもっているのかな……。

そんなことを考えながら歩いていると、道ばたに電話ボックスがあるのが目に入った。

まだ家をでてから一日しかたってないけど、予定とは行き先がちがってしまったので、できれば家に連絡《れんらく》をいれておきたい。

村長さんは、電話線が切れたっていってたけど、もしかしたら電話ボックスは、家の電話とは回線が別になってるかもしれないし……。

ぼくはガラス戸をおして中に入ると、受話器をとって十円玉を入れた。

公衆《こうしゅう》電話なんかめったにつかわないし、そもそもここがどこだかわからない。家まで

いったいいくらくらいかかるんだろう、と不安に思いながら電話をかけると、よびだし音がきこえるひまもなく、

「はい、もしもし」

受話器から女の人の声がきこえてきた。お母さんの声のような気もするけど、電話だとわかりにくいので、

「えっと……高浜《たかはま》さんのおたくですよね？」

ぼくが念《ねん》のためたしかめると、

「いいえ、うちは楠《くすのき》です」

少し笑いをふくんだような声がかえってきた。

「あ、すいません」

まちがえました、といいかけて、ぼくは混乱《こんらん》した。

うけとり口に、さっき入れたはずの十円玉がもどってきていたのだ。

それじゃあ、これはどこにつながっているんだろう――

危険《きけん》を感じて、いそいで切ろうとした瞬間《しゅんかん》、だれかにがっしりとつかまれたように、腕《うで》

がまったくうごかなくなった。

「気にしなくてもいいのよ」

電話の声が、楽しそうにいった。

「あなたもこっちにいらっしゃい」

声と同時に、足もとから灰色《はいいろ》のもやのようなものがはいあがってきた。

よく見ると、ところどころに血しぶきのような赤い霧《きり》がまじっている。

ぼくは受話器をもったまま、ガラス戸に背中《せなか》をぶつけてあけようとした。

だけど、ガラス戸はまるで鉄《てつ》の壁《かべ》みたいに、ぼくの体をがつんとはじきかえした。

もやはどんどん濃《こ》くなって、ボックスの中にじわじわとひろがっていく。

体からだんだん力がぬけてきて、ガラス戸にもたれかかったそのとき、

「うわっ！」

とつぜんガラス戸があいて、ぼくは地面になげだされた。

「だいじょうぶ？」

沙織《さおり》ちゃんが心配そうに、上からのぞきこんでいる。

「あ、うん……ありがと」

ぼくはまだ少しぼうぜんとしながら、沙織《さおり》ちゃんの手をつかんで立ちあがった。

「これって、ひっかかるから開きにくいんだよね」

沙織ちゃんはガラス戸をあけたり閉《し》めたりしているけど、ぼくにはそれだけとは思えなかった。

「でも、あえてよかった。ちょうどあいにいこうと思ってたの」

沙織ちゃんがそういって、紙袋《かみぶくろ》をさしだした。

「はい、これ」

「え？」

袋をうけとったぼくは、中を見ておどろいた。

入っていたのは、男の子の人形だったのだ。

お寺で見た人形と同じように、布製《ぬのせい》で、中に綿《わた》が入っている。

そして、その顔はぼくにそっくりだった。

「わざわざつくってくれたの？」

「うん。この村にいるあいだは、もってたほうがいいと思って」

沙織《さおり》ちゃんはうなずいて、それからすぐに肩《かた》をすくめた。

「っていっても、もともとあったつくりかけの人形に、ちょっと手を入れただけなんだけどね」

「ありがとう。大事にするよ」

ぼくが人形をだきしめると、沙織ちゃんはにっこり笑った。

「さっきの電話ボックスにも、怪談《かいだん》があったりするの？」

あらためて村はずれの塚《つか》をめざして歩きだしながら、ぼくがたずねると、沙織ちゃんは首をふって、

「電話ボックスには、ないと思う」

とこたえた。

「電話ボックスには？」

「となりの木は有名なの」

沙織《さおり》ちゃんはふりかえって、電話ボックスのすぐそばに立っている、大きな桜《さくら》の木を指さした。

『夜《よ》泣《な》き桜《さくら》』

そのお屋敷《やしき》は、庭にりっぱな桜の木があることで有名だった。

毎年、花の季節になると、満開の桜が屋敷の前を通る人の目を楽しませていた。

ところが、いつのころからか、夜になるとその桜から泣き声がきこえるといううわさがささやかれるようになった。

屋敷で働く者たちも、気味悪がってすぐにやめてしまう。

いっそ切りたおしてしまえば、と忠告《ちゅうこく》する人もいたが、先代が大事にしていたからと、主人はけっして切ろうとしなかった。

そんなある日、わかい女が屋敷《やしき》をたずねてきた。

女は屋敷で働いていた信三《しんぞう》という男の妹で、約束の日になっても兄が帰ってこないので、心配になってさがしにきたのだといった。

「信三なら、もう半年も前に、郷里《きょうり》に帰ったはずだが」

屋敷の主人は、そうこたえた。

「大方、どこか別の土地でいい仕事を見つけて、郷里に帰る気がなくなったのではないか」

そんなはずはない、と女はいった。

「兄は、こちらのご主人に大きな仕事をまかされて、近々まとまったお金をいただけるので、それをもって帰ると手紙に書いているのです」

「信三に、そんな仕事をまかせたおぼえはない」

主人はけわしい顔で首をふった。

そして、自分がついたうそをごまかせなくなって、帰るに帰れなくなったのであろう、といった。

「兄はそんな人ではありません」

くちびるをかむ女に、主人は屋敷《やしき》のほかの者にもきいてみるので、今日はとまっていくようすすめた。

その夜、女が物音で目をさますと、枕《まくら》もとで人かげが刀《かたな》をふりあげていた。とっさに身《み》をかわすのと同時に、人かげが刀をふりおろす。

「助けて！」

女は悲鳴をあげながら、ころがるように部屋をでて、庭ににげた。

庭には白い月の光がふりそそいでいる。

その光の中にうかびあがったのは、刀を手にした主人の姿《すがた》だった。

女は、庭の中でもひときわりっぱな桜《さくら》の木のもとににげた。

主人が女にむかって、ふたたび刀をふりおろす。

地面に体をなげだすようにして、女がよけると、いきおいあまった刀が、桜の木を切りつけた。

すると、木の幹《みき》からまっ赤な血がいきおいよくふきだした。

血がまるで霧吹《きりふ》きのように、主人の顔にふりそそぐ。

「うわぁぁぁぁ――――!」

顔をまっ赤にそめた主人が、たまげるような悲鳴をあげながら、刀《かたな》を放りだすと、

「すまない! ゆるしてくれ!」

頭をかかえて、がたがたとふるえだした。

そこに屋敷《やしき》の者がやってきて、主人のいうとおりに桜《さくら》の木の根もとをほると、そこには人の骨《ほね》がうまっていた。

じつは、主人は出入りの商人とくんで、よからぬ商売をおこない、大金をかせいでいた。

そして、それを知った信三《しんぞう》を殺《ころ》して、桜の根もとにうめてしまったのだ。

主人はつかまり、家の財産《ざいさん》は没収《ぼっしゅう》され、家屋敷もくちはてていったが、桜の木だけはのこされて、殺された信三の魂《たましい》をとむらっているということだった。

「そのお屋敷が、たしか楠家《くすのきけ》っていったと思うけど」

沙織《さおり》ちゃんの話をきいて、ぼくはブルッと身《み》ぶるいをした。

さっきの電話にでたのは、楠家《くすのきけ》のだれかの幽霊《ゆうれい》とかではなくて、血の味を知ってしまった桜《さくら》の木の霊《れい》だったのではないかと思ったのだ。

もし沙織ちゃんがいなかったら、ぼくもあのまま木の根もとにひきずりこまれていたのかもしれない。

だけど、もとはといえば、屋敷《やしき》の主人が信三《しんぞう》さんを殺《ころ》していなければ、桜もただ花を咲《さ》かせていたわけだし……。

「やっぱり、本当に怖《こわ》いのは生きている人間なのかな」

ぼくがそういうと、沙織ちゃんが真剣《しんけん》な顔で「そうかもしれないね」とつぶやいた。

そして、道の途中《とちゅう》でふと足をとめた。

「どうしたの？」

「うん……」

沙織ちゃんの視線《しせん》の先では、一足の黒いゴム長ぐつが、田んぼにむかってそろえておかれていた。

「ここに×印《じるし》はある？」

沙織《さおり》ちゃんにきかれて、ぼくは地図を確認《かくにん》した。

「いや、ないけど……」

「そっか……」

「なにかあるの？」

「ここは、泥田坊《どろたぼう》がでるっていわれてるの」

「泥田坊？」

その名前は、山岸《やまぎし》さんにきいたことがあった。

「たしか、田んぼにでる泥《どろ》だらけの妖怪《ようかい》だよね」

「うん」

沙織ちゃんは、長ぐつをじっと見つめながら話しだした。

『泥《どろ》田《た》坊《ぼう》』

百年以上《いじょう》昔の話。

年老《としお》いた夫婦《ふうふ》が、小さな田んぼをまもってくらしていた。

ところが、奥《おく》さんが病気になってしまい、高価《こうか》な薬が必要となった。

夫婦は田んぼはもっていたが、薬を買うお金はもっていなかった。

こまっていたところ、同じ村に住んでいるある男が、お金を貸《か》してくれると申しでた。

「金はできたときにかえしてくれればいいよ。なーに、ご近所さまじゃねえか」

という男の言葉に、

「ありがたい、ありがたい」

と手をあわせて感謝《かんしゃ》していたのだが、じつは証文《しょうもん》には小さな文字で、期限《きげん》までにかえさなければ田んぼをとりあげる、と書いてあったのだ。

そんなことには気づかずに、お金を借りたおじいさんは、田んぼをとられてしまった。

そのことを知ったおばあさんは、がっくりとして、そのまま亡《な》くなってしまい、その直後、おじいさんも姿《すがた》を消した。

いまは男のものになった田んぼのふちにおじいさんの長ぐつがおいてあったので、村人がさがすと、田んぼの中で泥《どろ》だらけになって死んでいるのが発見された。

おじいさんのお葬式《そうしき》をあげてから、しばらくすると、その田んぼに泥田坊《どろたぼう》になったおじいさんがでるといううわさがひろまった。

夕方になると、田んぼの中に泥だらけのおじいさんが立って、

「田をかえせ〜、田をかえせ〜」

と訴《うった》えるというのだ。

田植えの季節になり、男は人をやとって苗《なえ》を植えようとしたが、だれもやりたがらない。

腹《はら》を立てた男は、ある日、

「だったら、おれがひとりで植えてやる」

といったきり、おじいさんと同じように田んぼのふちに長ぐつをのこして姿《すがた》を消した。

村人たちは泥の中をさがしたが、男はどこにも見つからない。

当時はまだ土葬《どそう》だったので、もしやと思って、おじいさんの墓《はか》を調べると、泥《どろ》まみれのおじいさんにしがみつかれた男の死体が見つかった。

男の顔には、恐怖《きょうふ》の表情《ひょうじょう》がはりついていたらしい。

その後、泥田坊《どろたぼう》はでなくなり、田んぼはおじいさんの遠縁《とおえん》があとをついでいるということだ。


「それ以来、ここはおじいさんの田んぼだから、勝手に入ったらおじいさんに怒《おこ》られるよ、っていう意味をこめて、長ぐつをおいてるのよ」

沙織《さおり》ちゃんの話をききおえて、ぼくは左右を見まわした。

どこの田んぼにも、かかしが立っている。

考えてみれば、稲刈《いねか》りがすんだこんな季節にかかしがたっているのも、ちょっと不思議だ。ぼくがそういうと、

「この村では、一年中かかしをたてておくの。なんでも、神聖《しんせい》な田んぼの中に、悪いもの

が入ってこないようにするためなんだって」

と沙織《さおり》ちゃんが教えてくれた。

黒いカラスが、かかしの肩《かた》にとまっているのを見て、ふと、

「人形も大変だね」

そんな台詞《せりふ》が、口をついてでた。

「どうして？」

沙織ちゃんが首をかしげる。

「だって、人間のかわりに首をとられたり、一年中田んぼのまん中に立ってなきゃいけないんだから……」

「でも……」

かわいがってもらえたのなら、身《み》がわりもそんなにいやじゃないかもしれないよ、と沙織ちゃんはいった。

「それに、そういう風習がなかったら、はじめから人形もつくられなかったわけだし」

「そっか……そうだよね」

ぼくはうなずいて、自分の人形が入っているリュックをちょっとふりかえった。

六部《ろくぶ》の塚《つか》は、村長さんの家とは、ちょうど村の反対側のはずれにあった。

森の手前の、ちょっと開けた場所に、ぼくの目の高さぐらいの、ひとかかえもあるような大きな石がふたつならんでいる。

「これが、六部の塚？」

ぼくが石の表面に手をあてながらきくと、

「うん。この下に亡《な》くなった六部がねむってるんだって」

沙織《さおり》ちゃんもぼくのとなりで石に手をふれながらいった。

ぼくが村長さんの家できいたふたつの話を話すと、

「わたしも両方きいたことある」

沙織ちゃんはちょっと悲しそうな顔でこたえた。そして、低いトーンでつづけた。

「もし、おおばあさまの話が本当だったら、いまのこの村があるのは、旅人を殺《ころ》してお金をうばったからなのかも……」

だったらきっと、村をうらんでるだろうね——沙織《さおり》ちゃんは小さな声でそういった。

「そんな……べつに、沙織ちゃんたちのせいじゃないんだから」

「それはそうなんだけど……」

「そうだよ。それに昔のことなんだから、本当かどうかなんてわからないんだし……」

話しているうちに、力が入ってしまったのか、塚の石がグラリとゆれた。

「え？」

まさかうごくとは思ってなかったぼくは、あわてててとびのいたけど、ゆれた拍子《ひょうし》に石がうごいて、その下から空洞《くうどう》があらわれた。

「これ……なに？」

地下室には、ちょっと苦い経験《けいけん》のあるぼくが、おそるおそる中をのぞきこむと、一メートル四方くらいの空間がぽっかりとあいていた。

「あ、思い出した」

沙織ちゃんがぱちんと手をたたいた。

「たしか、さっきの話とはべつに、この塚《つか》にはこんな話もつたわってるの……」

『塚の中』

塚の中には殺《ころ》された六部《ろくぶ》の骨《ほね》だけではなく、その財宝《ざいほう》の一部がのこっていて、六部の霊《れい》がそれを守って近づくものをおそうので、塚に近づいてはいけない、といううわさがあった。

「おもしろそうじゃん。たしかめてみようぜ」

あるとき、うわさをたしかめようと、わんぱく者の太郎《たろう》が村の子どもたちを引きつれて、塚にやってきた。

そして、あちこち調べているうちに、石の下に空洞《くうどう》を発見した。

みんなが興奮《こうふん》して、塚の中をのぞきこんでいると、

「──おい、本当にここにかくせば、ばれないいんだろうな」

森のほうから、大人の声がきこえてきた。

塚《つか》に近づいたことがばれたら怒《おこ》られる――そう思った子どもたちは、塚のうしろに身《み》をかくして、息をひそめた。

やってきたのは三人組のわかい男たちで、どうやらなにかをかくす場所をさがして、この塚にやってきたようだ。

三人組は塚に近づいてくるけど、うごいたらばれるのでにげられない。

塚のうらで子どもたちがふるえていると、

「ふざけるな！　約束とちがうだろ！」

「うるさい！　リーダーはおれだ！」

男たちはとつぜん、はげしく争いだした。

どうやら、お金のわけ方でもめているようだ。

太郎《たろう》が、なんとかにげるチャンスをうかがっていると、

グワァ！　グワァ！

とつぜんあらわれたカラスのむれが、子どもたちにおそいかかった。

「うわぁっ！」

「きゃあっ！」

たまらずとびだした子どもたちに気づいて、男たちがこちらにむかってくる。

「なんだ、おまえらは！」

近づいてきた男たちを見て、子どもたちは腰《こし》をぬかすほどおどろいた。

男たちのうち、ひとりはおなかに、もうひとりは首にナイフがささり、三人目もナイフはささっていなかったが、首をしめられたあとがあり、三人ともあきらかに死人の顔をしていたのだ。

その三人の様子を見て、太郎は思い出した。

何年か前、うばった金を塚《つか》にかくそうとした三人組の強盗《ごうとう》が、わけ前でもめて殺《ころ》しあい、結局三人とも死んでしまうという事件《じけん》があったのだ。

この三人は、死んで幽霊《ゆうれい》になってからも、わけ前をめぐって殺しあいを続けているのだろう。

「おまえらも、おれたちの金をねらってるのか」

三人のうちのひとりが、自分のおなかからナイフをぬきとって、子どもたちにむける。

太郎《たろう》は前にでて、みんなをかばった。

そのとき――

「――あれ？　そのあと、どうなったんだったかな？」

沙織《さおり》ちゃんが話のとちゅうで首をかしげたとき、ぼくは人の気配を感じて、とっさに沙織ちゃんの手をひいて石のうらにかくれた。

いつのまにあらわれたのか、塚《つか》から数メートルはなれたところに、三人組の男たちが集まっているのが見える。

「あんな人たち、いた？」

沙織《さおり》ちゃんが不思議そうに、石のうらからのぞきこむ。

「いや、いなかった」

ぼくは首をふった。

とつぜん現《あらわ》れたことから考えても、ふつうの人間とは考えにくいな、と思っていると、

「おい、本当にここにかくせば、ばれないいんだろうな」

きこえてきた台詞《せりふ》に、ぼくたちは顔を見あわせた。

それは、いま沙織ちゃんが話していた怪談《かいだん》の台詞と、まったく同じだったのだ。

「どういうこと？」

沙織ちゃんが混乱《こんらん》している間にも、

「ふざけるな！　約束とちがうだろ！」

「うるさい！　リーダーはおれだ！」

はげしく争う声が、塚《つか》のむこうからきこえてくる。

「ねえ」

ぼくは小声で沙織《さおり》ちゃんにきいた。

「その怪談《かいだん》の続きは、どうなるの？」

「え？　えっと、たしか……」

沙織ちゃんが思いだそうとしていると、

グワァ！　グワァ！


とつぜんカラスがおそいかかってきて、ぼくたちは思わず塚《つか》のうらからとびだしてしまった。

「なんだ、おまえらは！」

反対側ににげようとしたけど、すぐにまわりこまれてしまう。

なかば予想していた通り、男たちのうちのひとりはおなかに、別のひとりは首にナイフがささっていて、のこりのひとりも死人の顔をしていた。

「おまえらも、おれたちの金をねらってるのか」

「金はおれのもんだ」

怪談《かいだん》と同じように、ナイフをむけながらじわりじわりと近づいてくる三人から沙織《さおり》ちゃんをかばうようにして、ぼくが一歩足をふみだしたとき、白い霧《きり》のようなものが、塚《つか》の下からわきでてきた。

霧《きり》はみるみるうちに白装束《しろしょうぞく》を着た人の姿《すがた》になると、両手を大きくひろげて、三人の男たちをつつみこむようにだきしめた。

男たちは、もがくように抵抗《ていこう》していたけど、やがてゆっくりと、まるで空気にとけるように消えていった。

「――思い出した」

沙織ちゃんが、ぼうぜんとつぶやく。

「強盗《ごうとう》に見つかった子どもたちは、六部《ろくぶ》の霊《れい》に助けられるの」

その場に立ちつくしているぼくたちのそばを、白い霧がふわりと通りすぎて、また塚の下へともどっていった。

「あの人は、村人をうらんでるわけじゃなくて、守ってくれてたのよ」

塚《つか》をあとにして歩きながら、沙織《さおり》ちゃんが明るい表情《ひょうじょう》でいった。

「たぶん、村長さんの話のほうが、真実に近かったんだろうね」

ぼくも地図を手にうなずいた。

「昔はほかの土地の情報《じょうほう》なんて、なかなか手に入らなかっただろうから、あちこちを旅してきた六部《ろくぶ》の知識《ちしき》っていうのは、すごく重要《じゅうよう》だったんじゃないかな」

おそらく旅の途中《とちゅう》でたおれていた六部を助けて、お礼に薬の作り方を教えてもらったことで、村は大きくさかえたのだろう。六部の財宝《ざいほう》をうばったというのは、もしかしたら人形村の成功《せいこう》をねたんで、近くの村が流したうわさだったのかもしれない。

夕暮《ゆうぐ》れの近づいた道を歩くうちに、ぼくたちはさっきの電話ボックスまでたどりついた。

「案内してくれてありがとう。すごく助かったよ」

それじゃあね、とぼくが手をふって歩きだそうとすると、

「ねえ」

沙織《さおり》ちゃんが泣きそうな顔でぼくをよびとめた。

「あの約束、本当？」

「約束？」

「浩介《こうすけ》くんの住んでる町を、案内してくれるって……」

「あ、うん。もちろん」

ぼくはちょっとてれながら、はっきりとうなずいた。

「いつでもきて。案内するよ」

「ありがとう」

沙織ちゃんはパッと笑顔《えがお》になると、「バイバイ」と手をふって、走り去っていった。

姿《すがた》が見えなくなってから、連絡先《れんらくさき》をちゃんときいてなかったことに気づいたけど、村の場所も名前もわかっているのだから、なんとかなるだろう。

ぼくは足どりも軽く歩きだした。

たぶん、ちょっとうかれて、油断《ゆだん》していたんだと思う。

「ねえ」

声をかけられて、反射的《はんしゃてき》に足をとめると、そこはあの公園の前だった。

トイレの前で、花子《はなこ》さんがにっこりと笑っている。

公園の時計を見ると、ちょうど四時四十四分だ。

やばい、と思っていると、

「おくびをちょうだい」

花子さんはそういって、首を前にカクンとたおした。

首がころんと落ちて、地面にころがる。

首のなくなった花子さんは、両手を前にさしだして、ぼくのほうにせまってきた。

ぼくはあわてて、背中《せなか》をむけて走りだした。

もしかしたら、リュックの中の人形をわたせばいいのかもしれないけど、それでうまくいく保証《ほしょう》がない以上、ためす気にはなれなかった。

もしだめだったら、ぼくの首をもっていかれるかもしれないのだ。

とりあえず、にげられるところまでにげようと、まがりくねった坂をかけのぼって、村長さんの家にころがりこんだ。

「どうしたんだい？」

玄関《げんかん》にでてきた村長さんが、おどろいた様子で目を見開く。

「いま、公園で……」

ぼくが、おくびさまになった花子さんに追われていることを話すと、

「それはあぶない。さあ、早くこっちに」

ぼくの手をひっぱって、はじめに通された部屋につれていった。そして、お札《ふだ》を何枚《まい》かさしだすと、

「これを障子《しょうじ》の内側《うちがわ》からはっておきなさい。相手はふつうの人間ではないのだから、もし知っている人がよびにきても、ぜったいにはがしてはいけないよ。いいね？」

そういって、パタンと障子を閉《し》めた。

ぼくは障子のちょうどあわせ目のところにお札をはると、部屋のまん中に座《すわ》った。

そして、そのまましばらく息をころしていると、

「おーい、浩介《こうすけ》くん」

山岸《やまぎし》さんの声がきこえてきて、同時に人のかげが障子《しょうじ》にうつった。

かげはたしかに山岸さんの姿《すがた》をしていたけど、まちがいなく山岸さんなのかどうかはわからない。

ぼくが返事をせずに息をひそめていると、かげは障子に手をのばした。

ところが、障子はまるでかぎがかかっているみたいにびくともしない。

「あれ？　おかしいなあ」

山岸さんのかげは、首をかしげると、一歩さがってまたよびかけた。

「おーい、浩介《こうすけ》くん。いるのかい？　帰り道がみつかったよ」

その台詞《せりふ》に、ぼくは腰《こし》をうかせかけた。

あれが山岸さんだったら、いまでていかないと、本気でぼくを置いて帰りかねない。

だけど、怪談《かいだん》のパターンとしては、こんなとき、お札《ふだ》をはがしてあけたとたんに、待ってましたばかりにお化けがあらわれて、ぼくを頭からぱくりと――。

「そんなわけないでしょう」

「え？」

背後《はいご》から声がきこえた気がして、とびあがってふりかえると、部屋の奥《おく》の暗がりから黒ネコが現《あらわ》れた。

「いまの……おまえか？」

ぼくのといかけを無視《むし》して、黒ネコはトコトコと障子《しょうじ》に近づくと、器用にジャンプをくりかえして、お札《ふだ》をすべてはがしてしまった。

とたんに障子がスッとあいて、

「やっぱりいたんじゃないか」

山岸《やまぎし》さんがぼくを見て笑った。

「さあ、いくよ」

「え、でも、村長さんやみなさんにあいさつを……」

「あいさつ？」

ぼくの言葉に、山岸さんは腰《こし》に手をあててあきれた顔を見せた。

「きみをだましてとじこめようとした相手に？」

「え？」

「ほら。また見つかったらめんどうだ。うらからでるから、ついておいで」

そういって、スタスタと歩き出す山岸《やまぎし》さんと黒ネコを、ぼくはあわてて追いかけた。


うら木戸から村長さんの家をぬけだして、ほそい道をぬけると、ちょうど電話ボックスのある辻《つじ》の手前にでた。

「ここからどうやって帰るんですか？」

早足で歩きながらたずねたとき、

「あいたっ！」

なにか石のようなものが頭に落ちてきて、ぼくは悲鳴をあげた。

足もとを見ると、ピンポン玉くらいの大きさの石が落ちている。

見あげると、大量のカラスがその足に石をつかんで、頭上をぐるぐるとまわっていた。

あっ、と思うまもなく、空から石がバラバラと落ちてくる。

ぼくたちはうでやリュックで頭をかばいながら、近くにあった屋根つきのバス停《てい》ににげこんだ。

一度石を落としたカラスが、田んぼに急降下《きゅうこうか》して、またべつの石をつかむと上空にもどっていく。

あれでは、いくらにげてもきりがない。

「どうするんですか？」

ぼくは山岸《やまぎし》さんの顔を見た。

「そうだなあ……」

山岸さんは口に手をあてて、大きく息をすいこむと、

「お――――い……」

遠くに見える霊山《れいざん》にむかってよびかけた。

するとしばらくして、

「ほ――――い……」

山からやまびこのような声がかえってきたかと思うと、

バサバサバサバサバサ

黒い雲のようなかたまりが、こちらに高速で移動《いどう》してきた。

よく見ると、それはフクロウの群《む》れだった。

大量のフクロウがひとかたまりになってとんできているのだ。

それを見て、カラスがちりぢりににげだす。

「あれは……」

ぼくがあっけにとられていると、

「キドモフクロウだよ」

山岸《やまぎし》さんはほほえんで、フクロウたちに手をふった。

「フクロウは猛禽類《もうきんるい》といって、カラスにとっては天敵《てんてき》になるんだ。フクロウは単独行動《たんどくこうどう》を好むから、群れをくんだカラスに追いやられることが多いんだけど、やっぱり集団《しゅうだん》になると強いね」

「はあ……」

頭上をフクロウの集団《しゅうだん》にまもられながら、ぼくたちはふたたび出発した。

田んぼの間のじゃり道を早足で歩きながら、

「いったい、なにが起きてるんですか？」

先を歩く山岸《やまぎし》さんにたずねる。

「なにがだい？」

「どうして村長さんがぼくをとじこめたり、カラスがおそってきたりするんですか？」

「そりゃあ、ぼくたちをこの村からだしたくないからだろ」

「だから、それがどういうことなのか……」

「まだわからないのかい？」

山岸さんは足をゆるめて、ぼくの顔をのぞきこんだ。

「ぼくたちは、はめられたんだよ」

「はめられた？」

「うん。たぶん、車の脱輪《だつりん》も計画のうちだろうね」

山岸《やまぎし》さんによると、おそらく道に細工《さいく》をして脱輪《だつりん》させた上で、山岸さんが徒歩《とほ》で山越《やまご》えをすることを見越して、この村に誘導《ゆうどう》されるよう、ひそかに山に結界《けっかい》をはったのだろうということだった。

「山岸さんが結界に気づかなかったんですか？」

意外に思って、ぼくが思わず口にすると、山岸さんはわずかに機嫌《きげん》をそこねたような口調で、

「ぼくだって、油断《ゆだん》することはあるさ。人間だからね」

と、人間ぶった。そして、

「ぼくたちは、村についてからずっと、彼《かれ》らに見はられていたんだよ」

そういって、田んぼを指さした。

その指の先にいるのは――かかしだった。

「え……」

ぼくが絶句《ぜっく》していると、かかしの目がぎょろりとうごいて、ぼくをにらみつけた。

「かかしだけじゃないよ」

山岸《やまぎし》さんはそんなぼくを見て、にやりと笑った。

「この村にきてから、ぼくたちはずっと、人形たちに監視《かんし》されていたんだ」


人形橋《にんぎょうばし》にたどりつくと、村人たちが道をふさぐようにして橋の手前に集まっていた。

村長さんや孝《たかし》さん、道ですれちがったおじいさんやおばあさんの顔も見える。

みんなに共通しているのは、胸《むね》のところに自分と同じ顔をした人形をだいていることだった。

人間のほうは、どこを見ているのかわからない、たましいのぬけたような目をしているけど、人形はしっかりとぼくたちを見て、にやにや笑いをうかべていた。

さらに、そのうしろには一本足のかかしたちがならんでいて、森の木にはカラスのむれがひかえている。

「ごくろうだったね」

村人たちの間から、黒いコートに黒い帽子《ぼうし》をかぶった、背《せ》の高い男があらわれた。

「かげ男……」

ぼくはつぶやいた。

山岸《やまぎし》さんがつくっている『百物語』の本と、ぼくの怪談憑《かいだんつ》きの能力《のうりょく》をねらっている謎《なぞ》の人物で、山岸さんの宿敵《しゅくてき》だ。

黒ネコが毛をさかだてて、「フ――ッ」とうなる。

「おまえのしわざだったのか」

ぼくの言葉に、

「いせいがいいね」

かげ男はよゆうの笑《え》みをうかべた。

「この村は、とっくに終わった村なんだけどね。結界《けっかい》をはるのにちょうどよかったから、利用させてもらったんだ」

かげ男はそういうと、山岸さんに視線《しせん》をうつした。

「本とその子を置いていってくれるなら、きみは帰ってもらってもかまわないよ」

「この子はともかく、この本は――」

山岸《やまぎし》さんはそういいかけて、すぐにいいなおした。

「いや、本もこの子もわたすわけにはいかない」

この人はどこまで本気なんだろう、と思っていると、ふいに空が暗くなった。

鳥のせいじゃない。空を暗い雲がおおいだしたのだ。

かげ男が表情《ひょうじょう》を変えて、山岸さんをにらむ。

「おまえ、まさか……」

「結界《けっかい》に内側《うちがわ》から切りこみを入れるのは、そんなに時間はかからなかったんだけどね。こっちのしこみが大変だったんだ」

山岸さんは空を見あげると、

「浩介《こうすけ》くんは、『天狗《てんぐ》つぶて』って知ってるかな?」

といった。

「えっと……なにもないのにとつぜん石がふってくる現象《げんしょう》のことですよね。それを昔の人が、天狗のしわざだと思って……」

「その通り」

山岸《やまぎし》さんは黒ネコを着物のふところに入れると、ぼくのリュックをひっぱりあげて、ぼくの頭にのせた。そして、ニヤリと笑って、

「天狗《てんぐ》のしわざなんだ」

そういうと同時に、空から石がバラバラと落ちてきた。

それも、さっきより大きな、野球のボールくらいの石だ。

「走れ！」

山岸さんの合図に、ぼくは姿勢《しせい》を低くして橋のむこうへとかけだした。

石はぼくと山岸さんをさけて、かげ男や村人たちに集中してふっている。

とくにかげ男の立っているあたりは、バケツをひっくりかえしたような石の雨だ。

あと少しで橋をぬけて、森の中へ――と思った瞬間《しゅんかん》、とつぜん足首をだれかにつかまれて、ぼくは前のめりにたおれこんだ。

ふりかえると、村長さんがぼくの足首をしっかりとつかんでいた。

やばい、と思うひまもなく、人形をだいた村人たちが、いっせいにぼくの上にのりかかっ

てくる。

おしつぶれそうになりながら、ぼくがうめいていると、

「そんなにつめたくすることはないじゃないか。ちょっと力を貸《か》してほしいだけなんだから」

人の壁《かべ》のむこうから、かげ男の声がきこえてきた。

ぼくがなんとかぬけだそうとしていると、だれかがぼくのリュックに手をのばした。そして、中からなにかをとりだすと、つぎにぼくの手をつかんで、ひっぱりだしてくれた。

立ちあがったぼくの手をつかんでいたのは――沙織《さおり》ちゃんだった。

「沙織ちゃん……」

「早く。こっち」

沙織ちゃんはぼくの手をひいて、橋のむこうへと走った。

チラッとふりかえると、かげ男はなぜか、ぼくがぬけだしたことには気づかずに、おりかさなる村人たちにむかってとくいげに話しかけていた。

「一瞬《いっしゅん》だけなら、ごまかせると思うから」

沙織《さおり》ちゃんが早口でささやいたとき、

「くそ！　だましたな！」

かげ男が、沙織ちゃんのつくってくれたぼくの人形を手に大声をあげた。ぼくはころがりこむようにして橋をわたりきった。

「山岸《やまぎし》さん」

ぼくは山岸さんのあとを追おうとして立ちどまると、沙織ちゃんをふりかえって手をのばした。

「いっしょにいこう」

だけど、沙織ちゃんは橋の上で涙《なみだ》をうかべて首をふった。

「わたしはいけないの」

そして、無理につくったような笑顔《えがお》で手をふった。

「ごめんね、浩介《こうすけ》くん。わたし……」

沙織ちゃんがなにかをいいかけたとき、

「なにしてるんだい。ほら、いくよ」

もどってきた山岸《やまぎし》さんがぼくに声をかけた。

「ありがとう」

ぼくはそれだけを口にすると、沙織《さおり》ちゃんに背中《せなか》をむけて、山岸さんのあとを追った。

かげ男たちは、橋の上でくやしそうにぼくたちを見送っている。どうやら橋のこちら側にはわたれないようだ。

「もしかして、このまま車まで歩くんですか？」

ぞうりでスイスイと山道を進む山岸さんに、息をきらしながらといかけると、

「まさか。いまからむかうのは、となりの古杣村《ふるそまむら》だよ」

山岸さんは笑って肩《かた》をすくめた。

「結界《けっかい》で見えにくくされてただけで、となり村までは、じつは山をぬけたらそんなに遠くないんだ」

「結局、全部あいつのわなだったんですね」

ぼくはくちびるをかんだ。

最後の最後まで、まったく見ぬけなかったのだ。

「まあ、しかたないよ。あいつも、今回は準備《じゅんび》にずいぶん時間をかけたみたいだしね」

山岸《やまぎし》さんがめずらしく、なぐさめるような台詞《せりふ》を口にする。

「山岸さんは、いつからこれがわなだって気づいてたんですか？」

ぼくの問いに、

「最初に橋をわたったときかな」

山岸さんは苦笑いをうかべて、頭をかいた。

「もう少し早く気づいていれば、こんなにてまをかけることもなかったんだけどね」

「えっと……それは、村にきたときからわかってたっていうことですか？」

ぼくはあっけにとられてききなおした。

「まあ、そうなるね」

「だったら、教えてくれてもいいじゃないですか」

ぼくがつめよると、山岸さんはすずしい顔でいった。

「ほら、敵《てき》をだますには、まず味方からっていうだろ？」

この人は、本当にぼくを味方として認識《にんしき》しているのだろうか。

うたがいの目をむけながら、ぼくはきいた。

「それじゃあ、ぼくが村で怪談《かいだん》を集めてる間、なにをしてたんですか？」

「もちろん、帰り道をさがしてたんだよ」

山岸《やまぎし》さんは胸《むね》をはった。

「結界《けっかい》に内側《うちがわ》からほころびをつくったり、天狗《てんぐ》に協力をお願いしたり……おかげで、帰ったらお礼の品を山ほど送らなくちゃ」

「はあ……」

話についていけなくなったぼくが、めまいを感じて少しふらつくと、

「ああ、ころばないように気をつけてね。そろそろくるころだから」

と山岸さんがいった。

「え？」

なにがですか？　とぼくがきこうとしたとき、ガサガサッと音がして、オクリオオカミが姿《すがた》を現《あらわ》した。

「すまないね」

山岸《やまぎし》さんの言葉に、

「ガゥ」

オクリオオカミは、返事をするようにみじかくほえると、かたまっているぼくをチラッと見てから、先頭に立ってスタスタと歩きだした。


森の中をしばらく歩いて、ようやく人が通れるような道にでたところで、オクリオオカミは姿《すがた》を消した。

どうやら、道案内をしてくれたようだ。

「あの……」

かげ男たちが追いかけてくる気配もないようなので、少しおちついたぼくは、山岸さんにきいてみた。

「かげ男がいっていた『終わった村』というのは、どういう意味なんでしょうか」

山岸さんは「うーん」とうなると、

「ちょっと休憩《きゅうけい》しようか」

といって、道の脇《わき》にあった大きな石にこしかけた。

「デジカメ、ある?」

ぼくがリュックからデジカメをとりだすと、山岸《やまぎし》さんは、ぼくが山からとった村の全景を表示《ひょうじ》して、こちらにむけた。

「ほら」

画像《がぞう》を見て、ぼくは絶句《ぜっく》した。

それはたしかに、人形村《にんぎょうむら》だった。

だけど、家も道もあれはてて、田んぼにかかしの姿《すがた》はなく、さっき避難《ひなん》したバス停《てい》は屋根がくずれおちている。

「これは……」

ぼくがぼうぜんとしていると、

「さっき天狗《てんぐ》にきいたんだけどね」

山岸《やまぎし》さんはそう前置きをして、

「あの村は、二十年以上前《いじょう》に、過疎化《かそか》のために廃村《はいそん》になっている村なんだ」

といった。

「廃村……」

ぼくは口の中でつぶやいた。

「うん。だから、もう長い間、あの村に人は住んでないんだよ」

「それじゃあ、あの人たちは……？」

「かげ男の力だけでは、だれもいない村にあれだけの村人を出現《しゅつげん》させることはできない。おそらくあれは、人形たちが見せたまぼろし——村人たちの生活の記憶《きおく》だったんじゃないかな」

これはぼくの想像《そうぞう》だけど、とことわってから、山岸《やまぎし》さんは話しだした。

かつて、あの村が人形の村だったことはまちがいない。

ところが、廃村になって、村人たちは人形を置いてでていってしまった。

やがて、置いてきぼりになった人形たちのうち、比較的《ひかくてき》新しいものや、こめられた思いが強いものが、村に人がいた時代のことを忘《わす》れられずに、村人たちの生活を再現《さいげん》するようになった――。

「その状況《じょうきょう》を知ったかげ男が、人形たちを利用していたんだと思う」

生活の記憶《きおく》――人形たちは、まだ村が生きていた時代の記憶を、あの場所で何度もくりかえしていたのだ。

「あ、でも……」

廃村《はいそん》になる前は、村はたしかに存在《そんざい》したのだから、村の人たちも、生きていればどこかにいるはずだ。だったら、いま何歳《さい》になっているかわからないけど、沙織《さおり》ちゃんも村をでて、いまはどこかでくらしているのかも――。ぼくがそういうと、

「それが、不思議なんだけどね……沙織ちゃんの記録《きろく》がないんだよ」

山岸《やまぎし》さんが、この人にしてはめずらしく、不思議そうに首をひねった。

「どういうことですか？」

山岸さんによると、あの村では子どもが生まれたり、だれかがひっこしてきたら、人形をつくって寺に記録をのこすんだけど、帰り道をさがすついでに調べたところ、その中に沙織ちゃんの記録はなかったらしい。

「もしかしたら、沙織《さおり》ちゃんだけはだれかの身《み》がわりにつくられたものではなく、たんに人形としてつくられて、村の女の子がかわいがっていたのかもしれないね」

そういわれて、ぼくは思いだした。

最後に橋であったとき、沙織ちゃんだけが、胸《むね》に人形をだいていなかったのだ。

「……沙織ちゃん、最後にいってたんです。『ごめんね』って」

「たぶん、彼女《かのじょ》もきみの監視役《かんしやく》を命じられていたんだろう」

山岸《やまぎし》さんは少し声のトーンを落としていった。

「もしかしたら、もっと決定的なわなに誘導《ゆうどう》するよう命じられていたのかもしれないけど……浩介《こうすけ》くんに、それはしたくなかったのかもしれないね」

森の中を風がふきぬけて、木々がざわざわとゆれる。

「案内、できなかったな……」

ぼくがぽつりとつぶやくと、ぼくの目の前に、見おぼえのある人形が、ぽんと置かれた。

沙織ちゃんがつくってくれた、ぼくの人形だ。

え、と思って顔をあげると、体中ボロボロになった黒ネコが、前足で顔をぬぐっていた。

「これ……」

山岸《やまぎし》さんは、黒ネコに手をさしのべた。

「ごくろうさま」

黒ネコが「ニャー」とないて、山岸さんの腕《うで》をつたって肩《かた》にとびのる。

ぼくは人形を手にとって立ちあがった。

「それじゃあ、そろそろいこうか」

山岸さんも立ちあがる。

「浩介《こうすけ》くん、足首はもうだいじょうぶかい？」

「はい、だいじょうぶです」

「それはよかった」

山岸さんもにっこりほほえんだ。

「また明日から、調査《ちょうさ》にうごきまわってもらわないといけないからね」

「――え？」

ぼくはふみだしかけた足をとめた。

「いまから帰るんですよね？」

「なにをいってるんだい？」

山岸《やまぎし》さんがおどろいたように目を見開いた。

「調査はこれからだよ」

「でも、ぼくはおばあちゃんの家に……」

「うん。約束通り、年内には送りとどけるから。さあ、いくよ」

肩《かた》に黒ネコをのせて、元気に歩きだす山岸さんのうしろ姿《すがた》を見送りながら、ぼくはがっくりと肩を落とした。

どこか遠くから、キドモフクロウの「おーい」という声がきこえたような気がした。

次回予告
「怪談収集家《かいだんしゅうしゅうか》　山岸良介《やまぎしりょうすけ》の日常《にちじょう》（仮題）」
浩介《こうすけ》のお父さんが店長をつとめるスーパーに、子どもの幽霊《ゆうれい》が？　浩介は山岸《やまぎし》さんと協力して解決《かいけつ》にのりだすが……。
同級生の園田《そのだ》さんに好きな人が？　相手はいったい――。　平和なはずの日常《にちじょう》も、怪談憑《かいだんつ》きの助手《じょしゅ》には休むひまはありません。

緑川聖司（みどりかわ　せいじ）
『晴れた日は図書館へいこう』で日本児童文学者協会長編児童文学新人賞佳作を受賞し、デビュー。作品に『ついてくる怪談　黒い本』などの「本の怪談」シリーズ、「晴れた日は図書館へいこう」シリーズ、『福まねき寺にいらっしゃい』（以上ポプラ社）、「霊感少女」シリーズ（KADOKAWA）などがある。大阪府在住。

竹岡美穂（たけおか　みほ）
人気のフリーイラストレーター。おもな挿絵作品に「文学少女」シリーズ、「吸血鬼になったキミは永遠の愛をはじめる」シリーズ（ともにエンターブレイン）、緑川氏とのコンビでは「本の怪談」シリーズ、「怪談収集家」シリーズがある。埼玉県在住。

2017年12月　第１刷　　2018年２月　第２刷

ポプラポケット文庫077-17

怪談収集家《かいだんしゅうしゅうか》 山岸良介《やまぎしりょうすけ》と人形村《にんぎょうむら》

作　**緑川聖司**
絵　**竹岡美穂**
発行者　長谷川 均
発行所　株式会社ポプラ社
東京都新宿区大京町22-1　〒160-8565
振替　00140-3-149271
電話（編集）03-3357-2216
（営業）03-3357-2212
インターネットホームページ www.poplar.co.jp
印刷　岩城印刷株式会社
製本　大和製本株式会社
Designed by 荻窪裕司

ISBN978-4-591-15652-0　N.D.C.913　206p　18cm

みなさんとともに明るい未来を

一九七六年、ポプラ社は日本の未来ある少年少女のみなさんのしなやかな成長を希《ねが》って、「ポプラ社文庫」を刊行しました。

二十世紀から二十一世紀へ――この世紀に亘《わた》る激動の三十年間に、ポプラ社文庫は、みなさんの圧倒的な支持をいただき、発行された本は、八五一点。刊行された本は、何と四千万冊に及びました。このことはみなさんが一生懸命《いっしょうけんめい》本を読んでくださったという証左《あかし》でもあります。

しかしこの三十年間に世界はもとよりみなさんをとりまく状況も一変しました。地球温暖化による環境破壊、大地震、大津波、それに悲しい戦争もありました。多くの若いみなさんのかけがえのない生命も無惨《むざん》にうばわれました。そしていまだに続く、戦争や無差別テロ、病気や飢餓《きが》……、ほんとうに悲しいことばかりです。

でも決してあきらめてはいけないのです。誰もがさわやかに明るく生きられる社会を、世界をつくり得る、限りない知恵と勇気がみなさんにはあるのですから。

――若者が本を読まない国に未来はないと言います。

創立六十周年を迎えんとするこの年に、ポプラ社は新たに強力な執筆者《しっぴつしゃ》と志《こころざし》を同じくするすべての関係者のご支援をいただき、「ポプラポケット文庫」を創刊いたします。

二〇〇五年十月

株式会社ポプラ社